KB196595

Presented by Ao jyumonji / Illustration by Eiri shirai

재와 환상의 그림갈

작가=**주몬지 아오** | 일러스트=**시라이 에이리** | level. 13―마음, 열려라, 새로운 문

문을 지나자
그곳에서는 바람이 불고 있었고,
명백하게 공기가 달랐다.

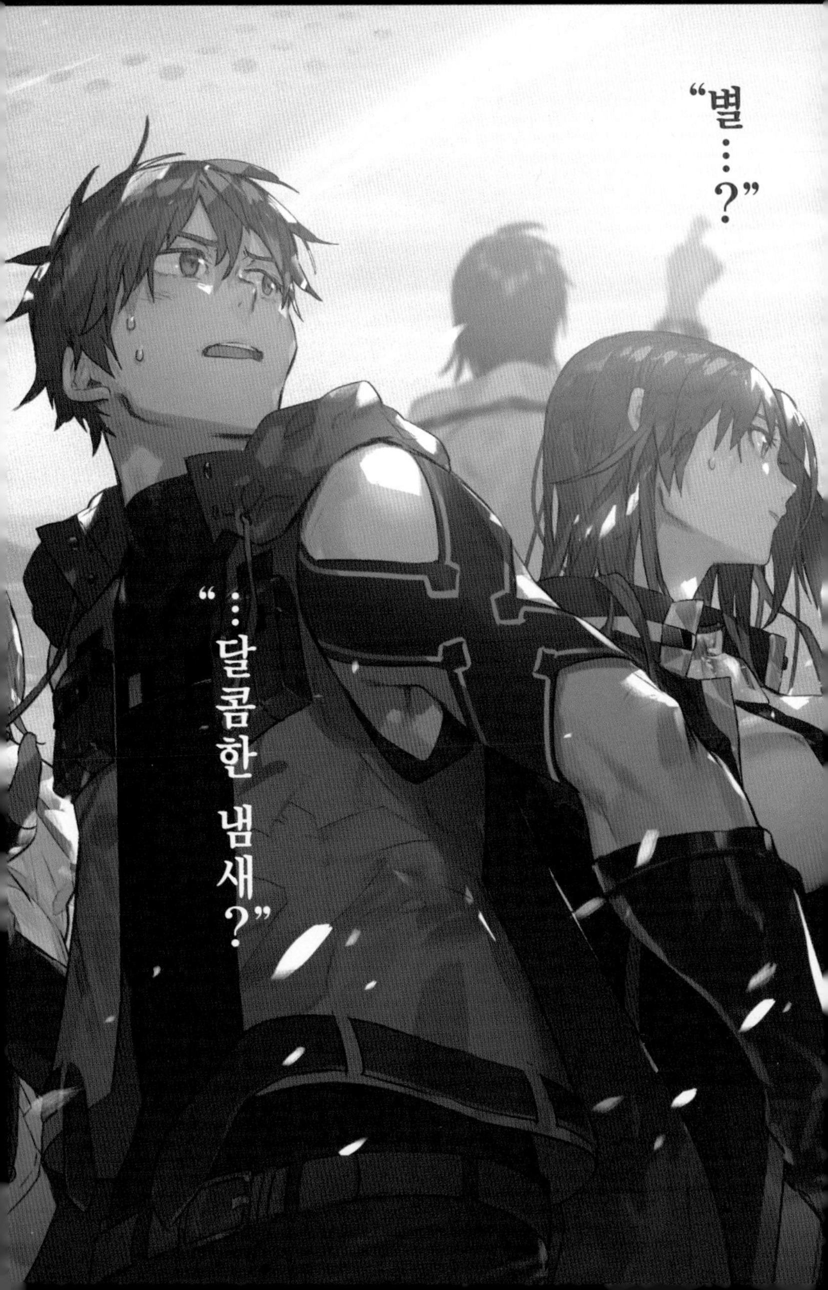
“별……?”
“……달콤한 냄새?”

오르타나로 가는 길…

마음은 말이 되지 않고
밤하늘에 녹아 사라져간다.

마음, 열려라, 새로운 문

재와 환상의 그림갈 level. 13

주몬지 아오

내리쬐는 태양 아래, 알몸인 상반신을 바닷바람에 검붉게 태운 선원이 잔교를 향해서 힘차게 트랩을 내렸다.

만티스호 선장 긴지는 함교 위에 팔짱을 끼고 거만하게 서 있다. 하루히로가 인사하자 긴지는 턱을 들더니 물고기 같다고나 할까, 물고기로밖에는 보이지 않는 얼굴을 찡그렸다. 웃은 건가? 아니면 비웃은 건가? 잘 모르겠다.

결국 일수로 따지면 닷새 동안의 항해 중 저 남자와 마음이 통하는 일은 없었다. 친해지고 싶다고는 전혀 생각하지 않았으니 별로 안타깝지도 않고 아무렇지도 않다. 선장인데도 선원들에게서도 호감을 받기는커녕 미움을 받고 있다. 경멸당하기까지 하는 것 같다. 인덕이라고는 전혀 없고 싹싹함 비슷한 것도 없다. 왜 K&K 해적 상회는 저런 재수 없는 사하긴을 만티스호의 선장 자리에 앉혀놓은 걸까? 긴지는 K&K의 창설자 키사라의 절친이라고 하니 말하자면 인맥 채용 같은 것인지도 모르지만, 인사에 개인적인 사정을 지나치게 반영하는 건 좀 문제 아닌가?

뭐, 상관은 없지만.

…라고는 말할 수 없다.

트랩을 앞에 두고 하루히로는 동료들의 얼굴을 쓱 둘러보았다.

쿠자크가 있다. 여전히 크다. 당연한가. 작아질 리는 없다.

이번에도 뱃멀미 때문에 상당히 고통받은 시호루는 아직 상태가 나쁜 것 같다. 메리가 걱정스러운 표정으로 시호루에게 붙어 있다.

세토라도 있다. 그리고 회색 냐아 키이치도.

이상이다.

유메는 한동안 K&K의 KMY 모모히나에게 신세를 지게 되었다. 참고로, 직함인 KMY는 '쿵푸 마스터이며 마법사인 여자'의 약칭이라고. 아무리 그래도 지나치게 장난스럽지 않아?

아무튼, 그런 연유로 K&K와의 관계는 끊기지 않는다. 적어도 유메가 돌아올 때까지는.

유메가 함께가 아니라니, 솔직히 위화감만 든다.

강해지고 싶다고 유메는 말했다. 이해 못하는 바는 아니다. 하루히로도 강해질 수 있는 거라면 강해지고 싶다. 단, 하루히로는 그렇게까지 자기 자신에게 기대하지 않기 때문에, 파티 전체의 힘을 끌어올려 주는 방향에 관심이 쏠리기 쉽다. 하루히로와 달리 유메는 더 할 수 있다, 향상될 수 있다고 느끼는 것이겠지. 실제로 유메는 잠재력을 다 발휘하지 않았다. 아직 더 성장 가능성이 있다고 하루히로도 보고 있다. 하지만 말이다.

지금이 아니면 안 되는 건가?

사냥꾼인데 쿵푸러가 되겠다는 건 무슨 소리?

그보다 쿵푸러가 뭐야?

그 문제를 접어두고 봐도, 적어도 유메가 결정하기 전에 함께 의논을 하고 싶었다. 어느 쪽이든 유메가 꼭 그렇게 하겠다면 하루히로는 말리지 않았을지도 모른다. 하지만 나도 마음의 준비라거나 여러 가지가 필요하잖아.

배 위에서 파도에 흔들리면서, 유메가 없다는 것을 전제로 한 전술 등을 생각해봤지만, 불안하다는 말밖에 나오지 않는다. 크다니까. 유메의 빈자리는. 엄청나게 커. 유메는 논리적으로 사고하는 것은 특기가 아니지만 동물적이랄까, 직감적인 통찰력의 소유자다. 자기가 없어지면 동료들이 곤란하다는 것은 느낌상 잘 알고 있기 때문에 자기가 바라는 것을 좀처럼 말할 수 없었던 건지도 모른다. 그러나 한참을 망설인 끝에 충동적으로 결단을 내려버렸다. 유메답기는 하다. 질책할 마음은 전혀 없지만, 유메의 부재는 여러 가지 의미로 정말로 힘들다. 리더로서 유메 앞에서 그런 내색을 할 수는 절대로 없었기 때문에 더욱 크고 뼈저리게 느낀다.

유메가 없다니, 꿈이라면 좋을 텐데.

말장난 같지만 거짓도, 꾸밈도 없이 그것이 진심이다. 지금부터 데리러 에메랄드 제도로 돌아갈 수도 없으니 현실을 받아들이는 수밖에 없지만.

다행히 유메는 언젠가는 동료들 곁으로 돌아온다. 유메가 약속을 어기는 일은 없겠지. 하루히로는 어느 쪽인가 하면 비관적인 인간이지만, 그 점은 낙관하고 있다. 반년 후에 유메가 복귀할 때까지만 견디는 거다. 그때까지 잘 헤쳐 나가면 돼. 어떻게든 될 거야.

…라고 생각하고 싶다.

아니, 무슨 일이 있든, 어떻게든 해나가야 한다.

트랩을 거쳐 잔교에 내리자 구체적으로 뭐가 어떻다고는 말할 수 없지만 공기가 확 변한 것처럼 느껴졌다.

"아마 착각이겠지…."

하루히로는 이름난 자유 도시 베레 항구를 둘러보았다.

해적 마을 로로네아도 거칠고 활기가 있었고, 용의 습격으로 막대한 피해를 입었으면서도 그 항구는 수많은 해적선으로 북적거렸다. 그러나 베레는 규모가 다르다. 차원이 달랐다.

베레 항구에는 잔교가 몇 개나 있는 거지? 도대체 몇 척의 배가 정박하고 있는 거지? 수가 너무 많아서 짐작도 못하겠다.

부두와 잔교를 많은 인부들이 짐을 짊어지고는 끊임없이 오가고, 뱃사람들이 배 주위에서 일하고 있기도 하고, 여기저기서 고함을 지르기도 하고, 담소하기도 했다. 가마나 인력거를 탄 유난히 차림새가 좋은 남녀의 모습도 언뜻언뜻 보이는데, 저건 어떤 사람들일까?

물론 하루히로 일행 같은 인간도 있고, 체격이 좋고 녹색 피부를 한 오크도 있다. 귀가 뾰족하고 여윈 체형의 엘프나 나무통처럼 땅딸막하고 수염이 북슬북슬한 드워프, 안색이 지나칠 정도로 나쁜 언데드, 고블린과 코볼트도 있다.

"어이, 저건…."

세토라가 한 인부를 보고 눈을 동그랗게 떴다. 어느 틈엔가 키이치가 세토라의 어깨에 올라가 있다… 고나 할까, 세토라의 목을 감고 있다. 배짱이 있는 냐아지만 그래도 이 소란에는 겁을 먹은 건지도 모르겠다.

문제의 인부는 등에 짐을 잔뜩 지고 있다. 그런데 그 등은 하반신이다. 그렇다는 건, 등이 아닌 건가? 그에게는 놀랍게도 다리가 네 개 있었다. 상반신이 인간이고 하반신은 말이다. 꼬리도 분명히 있다.

"센토." 메리가 중얼거렸다.

"아아, 저게…."

하루히로도 들어본 적은 있다. 반인반마인 센토. 풍조 황야에 있다고 했던가 없다고 했던가.

이 눈으로 본 것은 처음인지도 모르겠다.

"몸집이 크고 마력이 꽤 있어 보이네…."

쿠자크가 히죽 웃었다.

"말이니까?"

"재미없어."

세토라가 내뱉는 것처럼 말하자 의외라는 듯이 쿠자크의 눈썹이 처진다.

"이런. 별로였나? 지금 그건."

"너에게는 농담 센스가 조금도 없다."

"아니, 세토라 씨가 할 말은 아닌데, 그건."

"무슨 의미지?"

항구를 나오자 베레의 거리 풍경은 단숨에 세련된 분위기를 자아내기 시작했다.

예를 들면 오르타나의 건물은 실질강건이라고 하는데, 듣기에는 그럴듯한 말이지만 실은 튼튼하기만 할 뿐 투박하다. 목조는 나무색, 석조는 돌 색깔 그대로다. 베레의 경우는 하얀 벽이 기본이고 지붕은 선명한 색으로 칠했다. 조각이 새겨진 기둥이나 문도 제법 눈에 띄고 왠지 창문 나무틀까지 멋들어진 것 같다. 유리창도 드물지 않았다.

항구에서부터 뻗은 큰길을 걷고 있는 탓일까? 사람들이나 짐차의 왕래가 상당히 많았다.

"완전히 도시네요, 베레는."

번잡한 길가에서 한숨과 함께 쿠자크가 중얼거렸다.

"꺅…."

시호루가 통행인과 부딪쳐 쿠자크가 "…앗, 저기요!"라며 항의하려고 했더니 통행인이 발걸음을 멈추고 돌아보았다. 목이며 팔도 우스울 정도로 두껍고 어깨가 거짓말처럼 불룩하다. 꺽다리인 쿠자크보다 더 큰 것 같다. 녹색이네. 하루히로는 생각했다. 저 그린 스킨(녹색 피부)은 아무리 봐도 익숙해지지 않는다.

어디에서 어떻게 봐도 오크입니다.

"왓사아. 다낫구앗!"

행인 오크가 뭔가 소리쳤다.

"…아니. 무슨 말을 하는 건지 모르겠거든?"

쿠자크는 행인 오크에게 맞서려고 했다. 의외로 이럴 때 발끈한다니까, 이 녀석. 하루히로는 살며시 쿠자크의 허리춤에 손을 댔다.

"말썽을 일으켜서 어쩌려고? 가볍게 사과나 해."

"하지만 저 녀석, 시호루 씨를."

"저기… 쿠자크 군."

시호루는 메리의 부축을 받으면서 웃음을 보였다.

"방금 전엔 내가 부주의했던 것뿐이니까…."

"뭐, 시호루 씨가 그렇게 말하면 할 수 없지만…."

"갓나아! 웅데가앙!"

행인 오크가 침을 날리며 쿠자크를 몰아붙였다.

"아니, 그러니까!"

얼굴에 침이 튀어 쿠자크는 폭발한 모양이다.

"모르겠… 다니까! 알아듣게 말을 해줘야지?!"

"퍽! 유!"

"이런. 그건 완전히 싸움을 걸겠다는 거지? 당신?! 싸우자는 뜻이라면 기꺼이 받아들이겠지만?!"

"어이! 하지 말라니까!"

하루히로는 곧바로 행인 오크와 쿠자크 사이에 끼어들었다. 오크어를 모르기 때문에 손짓발짓을 섞어가며 필사적으로 변명하자 행인 오크는 비교적 순순히 꺼져주었다. 살았다. 사실 구경꾼들이 모여들거나 하지도 않았고 베레에서는 이 정도의 소동은 일상다반사로, 저 오크도 진짜로 화가 난 것은 아닐지도 모른다.

"…조마조마하게 만들지 마."

"미안."

바로 사과한 것은 좋지만 쿠자크는 쓴웃음을 짓고 있다. 별로 반성하지 않는 거지? 너. 나중에 혼쭐을 내줘야지. 아니, 혼쭐까지는 아니지만. 가볍게 설교쯤은….

"쓸데없는 일로 뭘 흥분하는 거야? 바보인가? 너는."

하루히로만큼 만만하지 않은 세토라는, 노골적으로 어이없다는 얼굴로 눈에는 경멸의 빛까지 떠올라 있다. 쿠자크도 그제야 자기 잘못을 조금은 심각하게 받아들인 듯, 머리를 긁적이면서 변명을 하기 시작했다.

"…상대가 'The 오크' 같은 오크여서 나도 모르게 그만. 역시 어쩔 수 없이 적이라고나 할까."

"여기는 로로네아보다 더 오크가 우글우글해."

"그렇지. …그렇지만."

뭔가 이상한 느낌이란 말이야, 쿠자크는 석연치 않은 것 같은 얼굴로 말했다.

생각해보면 원더 홀에서부터 다스크렐름(황혼 세계) 경유로 다룽갈에 빠져 들어갔고 거기서 200일 이상을 보냈다. 마침내 그림갈로 돌아오긴 했지만 그곳은 사우전드 밸리. 오르타나는 아득히 멀리 있었다. 그 후에도 우여곡절이 지나칠 정도로 많았고 간신히 베레에 도착하고 보니, 정말 긴 시간이었다. 마지막으로 오르타나에 돌아갔을 때로부터 아직 1년도 지나지 않았다니, 좀 믿을 수가 없다.

성장한 건지 아닌지. 다들 육체적으로, 정신적으로도 변한 것은 틀림없다. 경험을 쌓았고 몰랐던 일을 알게 되었다. 어쩌면 그중에는 몰라도 될 일이나 모르는 게 나을 뻔했던 일도 포함되어 있는지도 모른다.

쿠자크가 말한 것처럼 오크는 적이다. 예전에도 그랬고 지금도 변함없지만, 현재의 하루히로는 알고 있다. 오크는 인간족의 적이기 이전에 하루히로 일행과 같은 생물이다. 언어만 통하면 오크는 대화할 수 있는 상대이며 마음만 먹으면 서로 이해도 할 수 있을지 모른다.

움직이는 시체, 지성 있는 좀비 같은 것이라고밖에 생각하지 않았던 언데드 중에도 K&K의 과장 지미 같은 남자가 있다. 지미와는 확실히 인간적인 교류가 가능하고, 지금은 오크 지인은 없지만 언젠가 친구가 될 수 있을 만한 오크와 만날지도 모른다.

물론, 우리의 적이라면 오크는 물론이고 설령 인간이라도 여차하면 목숨을 빼앗는다. 지금까지도 하루히로는 자기 손을 더럽혔고, 죄책감이니 뭐니 따질 계제가 아니다. 필요하다면 주저 없이 해치운다. 해치우지 않으면 이쪽이 당한다.

하지만, 정말로 필요한 건가?

꼭 싸워야 하는 상대인 건가?

그들은 불구대천의 원수이고 서로 죽고 죽이는 수밖에 없다고, 싸우다 보니 완전히 그렇게 믿게 되었지만, 실은 그런 게 아니지 않을까?

아무튼 우선 오르타나로 돌아가야 해.

하지만 베레에서부터 오르타나까지도 직선거리로 500킬로미터는 된다고 하니 결코 가깝지는 않다고나 할까, 제법 멀다. 당연히 지리적인 상황 등도 있어서 똑바로는 갈 수 없기 때문에 600킬로에서 700킬로미터의 여정이 될 것 같다. 일단 600킬로로 계산하고 하루에 30킬로씩 열심히 걸어간다고 해도 20일은 걸린다. 제법이 아니다. 엄청나게 멀다.

베레 북쪽에서는 오크와 언데드가 군부 세력을 중심으로 할거하고 있다고 하는데, 오르타나는 남서 방향이니까 적지로 가는 것은 아니다. 단, 낯선 땅이고 지리를 전혀 모르기에 자력으로 오르타나에 도달하기가 좀 어렵다.

돈은 있다. K&K 해적 상회가 준 보상금, 백금화 100냥. 놀랍게도 1,000골드다. 너무나 큰돈이라서 솔직히 현실감이 없다. 현실이라고 생각할 수는 없어도 실물이 분명히 수중에 있기 때문에 안내인을 고용하는 것도 생각했지만, 우리를 만만히 보고 속이려 들 것 같기도 하다. 하긴 1,000골드나 갖고 있으니 아무리 속이려 든다 해도 별 상관없지만, 상대를 신용해도 될지 어떨지 판단이 힘들다. 하루히로 일행이 큰 부자라는 것이 알려지면 좋지 않은 일을 꾀하는 자들이 잇달아 몰려들 수도 있기에 가난한 의용병인 척하는 편이 무난하겠지. 그 정도의 조심성은 있어야 마땅하다.

베레와 오르타나 사이를 오가는 상인이 있다는 것은 들어서 알고 있었다. 호위 역의 인원을 모집하는 상단 한두 개쯤은 알아보면 분명 찾을 수 있을 것이다.

"…혹시나, 내 생각이, 짧았다는…?"

하루히로 일행은 근처의 포장마차 점주와 손님, 붙임성 좋은 행인들에게서 정보를 모은 후에 여기라면 있을 거라 생각하고 우귀청 새치 거리로 와봤다. 지붕으로 덮인 커다란 거리 전체가 시장인데, 상품을 진열한 점포는 얼마 없다. 기본적으로는 상인들끼리 거래를 하는 장소인지, 무슨 상회니 상사니 하는 사무소 간판이 그나마 몇 개 줄지어 있었다.

그래도 역시 오르타나로 가는 상단은 여럿 있었다. 거기에서 상단을 이끄는 상인들에게 호위 역을 구하지 않는지 물어보자 근사하게도 모두가 쌀쌀맞은 대답을 했다.

"호위라고?"

근사한 수염을 기른 작고 통통한 어떤 상인은 하루히로 일행을 수상한 듯 보더니 코웃음을 친다.

"나를 얼간이로 보는 거야? 만에 하나라도 너희들처럼 어디서 굴러먹던 말 뼈다귀인지 모를 놈들을 고용하는 바보가 있다면 꼭 가르쳐줘. 그 녀석의 어리석음을 안주 삼아 아마도 맛있는 술을 마실 수 있을 테니까."

심한 말이다. 쿠자크는 약간 열 받아 했지만 상인의 입장에서 생각해보면 이해가 가기도 했다. 하루히로 일행이 쉽사리 안내인을 고용하지 못하는 것과 마찬가지로, 상인도 신뢰할 수 있는 자들의 호위를 받고 싶은 것이다. 잘 보면 실력이 있어 보이는 무장한 남녀를 데리고 있는 상인도 많고, 제대로 된 상단은 늘 데리고 다니는 정규 경호원이 있을 것이다.

일이 생각했던 것만큼 간단하게는 풀리지 않을 것 같지만, 그렇다고 초조해할 필요는 전혀 없다. 돈이 있다. 정말로 돈이 있다는 것은 근사한 일이다. 여유를 가질 수 있다.

하루히로 일행은 해가 저물기 전에 그런대로 좋은 분위기의 숙소를 확보하고 그 후에 다시금 거리로 나와 다 함께 저녁 식사를 하기로 했다.

"…여기가, 해연정(海燕亭)."

정보 수집 과정에서 맛집이라고 몇 번이나 이름이 거론된 곳이다. 해연정은 백 개도 넘는 테이블이 있는 야외 식당인데, 의자는 한 개도 없다. 주위에 빽빽이 들어선 포장마차에서 음식을 사서 아무 테이블에나 놓고 선 채로 먹고 마시는 곳이다. 합리적인 가격에 각종 다양한 요리를 맛볼 수 있고 술도 마실 수 있다. 아직 해가 진 지 얼마 되지도 않았는데도 꽤나 북적거려 만석에 가까웠다.

쿠자크와 세토라에게 사 오게 하고 하루히로와 시호루, 메리는 테이블에 남았다. 키이치는 두 사람을 따라갔다.

테이블 사이의 간격이 꽤 좁아서 상당히 시끄럽다. 이렇게 붐비는 곳에서는 안정이 안 된다.

"다른 가게로 할 걸 그랬나?"

메리가 가벼운 말투로 물었다. 하루히로는, 음… 목덜미를 긁적였다.

"글쎄. 지금까지는 가본 적 없는 고급스러운 가게 같은 데도 지금은 들어갈 수 있긴 한데. 뭔가… 뭐랄까. 차분한 분위기의? 가게라거나."

시호루가 살짝 목을 움츠리면서 쓴웃음을 지었다.

"…그건 그거대로 마음이 편하지 않을 것 같은…."

"아, 그럴지도. 우리한테는 맞지 않지. 아무리 생각해도."

메리는 장난스럽게 미소 지었다.

"드래곤 라이더한테는?"

"하지 마, 그 말…."

"하지만 덕분에 부자잖아."

"어쩌다 그렇게 된 거라니까. 무엇보다도 나, 용을 타지는 않았거든. 아슬아슬하게 매달려서 갔던 것뿐이고. 그보다… 용케도 도중에 떨어지지 않았네. 내가 생각해도 참…."

"그건…."

메리의 뺨이 한순간 마치 유메처럼 볼록 튀어나왔다. 어디까지나 한순간이었다. 금방 다시 쏙 들어갔기 때문에 하루히로는 결정적인 순간을 놓치지 않았다는 사실을 하늘에 감사했다. 하늘이라니, 무슨 뜻이지? 신님 비슷한? 잘 모르겠다. 하지만 좋은 표정이었다. 계탄 느낌이다. …그건 뭐야? 무슨 계?

"감점 1점."

"…미안합니다."

하루히로는 고개를 숙였다. 언제였던가 감점을 당했던 것 같은데. 그렇다면 2점째인가? 문득 생각하고 만다. 이대로 감점만 당하다가는 나중에 어떻게 되는 거지?

"어이, 실례!"

그때 갑자기 유난히 큰 목소리가 들리고 누군가가 하루히로 일행의 테이블에 술잔을 퉁 내려놓았다. 쿠자크도, 물론 세토라도, 당연히 키이치도 아니다.

묘하게 머리카락이 뻣뻣해 보이는 남자다. 안경을 끼고 커다란 배낭을 짊어졌다. 오래 입은 듯한 나그네풍의 튼튼해 보이는 옷을 입었고 부츠도 지저분했다. 보기에는 인간 같다.

"…어?"

시호루는 전율했다. 적어도 시호루는 그 남자를 모르는 것 같다. 그야 그렇겠지. 오르타나라면 또 몰라도 여기는 베레다. 메리는 시호루를 자기 쪽으로 끌어당겨 보호하면서 날카로운 눈빛으로 남자를 노려보았다.

"응? 왜 그러시죠?"

남자는 안경 안쪽에서 결코 크지는 않은 눈을 깜빡거렸다. 콧방울이 펑퍼짐한 코와 네모난 얼굴형에 특징이 없지는 않지만, 역시 본 기억은 없다.

"어, 그러니까… 누구시죠?"

하루히로가 묻자 남자는 술잔을 들고 거품이 있는 술을 벌컥벌컥 마시더니 푸핫… 하고 숨을 내쉬었다.

"나 말이요?"

"그야 여기에는 우리와 당신밖에 없으니…."

"왓하하핫. 지당하신 말씀! 지당하고말고요! 저는 말이죠, 보잘 것없는 무역상인 케지만이라는 자요. 빈자리가 없기에, 당신들은 인원수도 적고 해서 합석해도 괜찮겠지 싶어서요. 보시는 바와 같이 저는 혼자라서요. 방해가 되지는 않겠지요. 그렇지요?"

"아니, 그건 글쎄요…."

"할 말은 하는 타입이로군요!"

케지만은 또 왓하하핫 웃더니 술을 한 모금 더 마셨다. 살짝 거슬

리는 웃음이다. 그리고 입 주위에 약간 거품이 묻어 있는 채로 있는
것도 왠지 짜증스럽다. 거품을 닦으라고 말해줘도 되겠지만, 그건
또 그것대로 패배감 같은 것을 느낄 듯하다.

"일행이 더 있어서."

메리가 엄청나게 차가운 목소리로 그렇게 말하자 케지만은 쓸데
없이 크고 한없이 밝은 목소리로 "괜찮아요!"라고 외쳤다. 메리에게
거절당하고도 전혀 겁먹지 않다니, 세다. 이 남자, 멘탈이 너무 강
해. 아니면 단지 무신경한 건가?

"일행이 있다고 뭐 열 명, 스무 명 있는 것도 아닐 텐데, 그렇지
요? 그럼 아무런 문제도 없지요. 자, 봐요. 이 테이블. 일곱 명이나
여덟 명, 무리하면 열 명이라도 못 쓸 건 없겠죠. 일행은 몇 명? 한
명? 두 명? 아니면 세 명? 아, 두 명! 그럼 오케이, 오케이지요!"

큰일 났다. 이건 휘말리는 흐름이다. 쿠자크나 세토라가 있었다
면. 하지만 두 사람은 아직 돌아오지 않았다. 지금은 어떻게든 하루
히로가 말려야 한다. …하지만, 잠깐만.

"…무역상?"

"네. 그게 왜요?"

케지만의 윗입술에는 아직 거품이 묻어 있다. 젠장. 졌다.

"저… 입술에 거품이."

"어이쿠쿠쿠쿠쿠쿠!"

케지만은 가죽 반장갑을 낀 왼손 손등으로 거품을 닦더니 부끄러
운 듯이 얼굴을 붉혔다. 이럴 때 쑥스러워하는구나. 쿠가 많고. 너
무 많고.

"실례, 실례. 그런데? 뭐였지요? 아, 맞다. 저는 분명히 무역상인

데, 그런데요? 당신들은 보기에는 오르타나의 의용병 같은데요. 아닌가요?"

"아니, 아니지 않지만."

"응. 응. 내 눈은 틀림없지. 겉멋으로 쓰고 있는 게 아니라고요, 내 안경은. 도수가 들어 있으니까요. 그런데? 뭔가요? 장사에 흥미라도?"

"별로 그런 게 아니라…."

"아하, 그렇군요. 가끔씩 있지요. 장사에 손을 대는 의용병 출신 초심자가. 몇 명 알고 있습죠. 뭐, 잘 안 되긴 하지만요. 쌤통이지요! 뒈져라…!"

"말이 지나친 게…."

"실례, 실례! 나도 모르게 그만! 이것저것 울분이 쌓이게 되거든요, 살다 보면!"

"…오르타나에 갔던 적은?"

"있지요. 있어요. 여기서만 하는 이야기인데, 이제부터 갈 곳이기도 하지요."

"엇."

"뭘 숨기랴! 저는 오르타나 무역으로 먹고삽니다!"

"소리 높여 선언하는데. 전혀 숨기지 않는 게…?"

"으레 하는 말이잖아요. 뭘 숨기랴… 는 건. 편리한 말이지요. 즉, 아무도 취급하지 않는 마니악한 제품으로 일확천금! 화려한 케지만이 바로 접니다! 왓하하핫!"

나는 근심병인 것이겠지. 뭐든지 나쁜 쪽, 나쁜 쪽으로만 생각해 버린다. 특히 내가 관여하면 일은 좋은 방향으로 흐르지 않는다. 그런 생각을 안 할 수가 없다.

사실은 잘 풀리는 경우와 안 풀리는 경우, 양쪽 모두 있는데도, 나쁜 사건 쪽이 기억에 남는다. 들러붙어서 떨어지지 않는다. 걸어온 길을 돌이켜 보면, 눈을 피하고 싶어질 만한 일만 있었던 것은 아냐. 분명히 알고 있는데도. 얼굴을 들어도 마음은 고개를 숙이고 있다.

지금은 얼굴도 아래를 향하고 있다.

머리카락에서 작은 물방울이 떨어져 무릎을 적셨다.

"시호루."

누군가가 불러 시호루는 그제야 고개를 들었다.

램프의 부드러운 불빛이 방 안을 비추고 있다. 숙소 자체가 작은 성 스타일로, 처음 이 방에 발을 들여놓았을 때에는 어떤 공주님이 살고 있는 걸까 생각했다. 물론 공주님의 방에는 침대가 네 개나 있다거나 하지는 않을 것이다. 가구도 최소한이고 잘 보면 인테리어도 딱히 호화롭지는 않다. 튼튼한 구조로 꼼꼼하게 손질을 했고 청결할 뿐이다. 그래도 시호루가 앉아 있는 침대의 이불은 푹신푹신했고 살짝 좋은 향기가 났다.

이런 장소에서 지낸 것은 얼마 만일까? 어쩌면 처음인지도 몰라.

메리가 타월을 들고 시호루 바로 앞에 서 있다.

"머리, 안 말렸어."

"…아."

시호루는 머리카락을 만졌다. 아직 꽤 축축하다.

메리는 옆에 앉아서 타월을 가만히 시호루의 머리에 대고 눌렀다. 메리다운 신중한 손길이었다.

괜찮은데, 라고 말하려다가 시호루는 말을 도로 삼켰다. 시호루에게는 타인의 호의를 거절하는 것보다 받아들이는 쪽이 더 힘들다. 아마도 그런 성격이겠지. 그래도 누군가에게서 뭔가 도움을 받고 그것이 기쁘다면 사양하고 싶어도 받아들여야 한다는 것을 친구와의 교류를 통해서 배웠다.

유메는 자신의 감정을 숨기거나 하지 않는다. 얼버무리려고도 하지 않는다. 시호루와는 정반대다.

시호루는 되고 싶어도 유메처럼 될 수는 없다. 단지 유메가 체온을 원하고 안길 때 도망가지 않고 안아줄 수는 있다. 유메가 좋아한다고 말해주면, 나도… 라고 대답하는 거라면 어떻게든 할 수는 있다. 소중한 사람에게 당신이 소중하다고 얼굴을 맞대고 전하는 것은 어려워도, 자기 나름대로 마음을 담아 상대를 대하는 일이라면 시호루도 할 수 있다.

"고마워. …메리."

메리는 살며시 웃고 손을 계속 움직인다.

유메가 있으면 아무튼 떠들썩하다. 메리와 둘일 때에는 서로 말수가 많은 편이 아니라서 잡담을 하는 일도 별로 없다.

시호루는 말하지 않고 가만있는 것이 힘들지는 않다. 잠자코 있어도 되는지, 함께 있는 상대가 어떻게 생각할지가 궁금할 뿐이다. 메리는 아마도 말하고 싶을 때에는 말하겠지만, 무리해서 종잡을 수 없는 이야기를 하고 싶어하지는 않는 사람이다. 메리와 함께 있으면 대화가 없어도 어색하지는 않다. 서로 하고 싶은 말만 하고 상대방의 말에 귀를 기울이기만 하면 된다.

"쓸쓸하네."

중얼거리듯, 메리가 말했다.

"…응."

고개를 끄덕이자마자 몸이 조여드는 것 같다.

메리도 시호루와 같은 심정이었던 것이다.

알고 있었지만.

"무척… 쓸쓸해."

"나, 유메한테서 꽤 구원받았어."

"…나도. 어쩌면… 분명… 메리보다 더."

"돌아오면 웃으며 맞아줘야지."

"…울지도 몰라."

"그건 괜찮지 않아?"

"나… 좀 화가 나."

누구에게도 털어놓을 생각은 없었는데, 자기도 모르게 입 밖으로 나와 버렸다.

메리는 타월을 자기 무릎 위에 놓고 시호루의 등에 팔을 둘렀다.

유메는 꽤 힘껏 안아주었고, 메리는 부드럽게 안아준다. 메리는 조심하는 거라고 전에는 생각했다. 그러나, 아니다. 그것이 메리의 방식이고 개성이겠지.

"나 멍해졌었어. 유메는, 재미있어. 새삼."

"…너무 재미있어서, 유메의 그런 점이, 나… 정말 좋아."

눈물이 나올 것 같으면서도 나오지 않는다. 메리가 옆에 있어준 덕분이다.

"그래서, 헤어지는 건 생각할 수가 없어서. …기분 나쁘지? 나. …내 이런 점, 싫어. 걸핏하면 기대는 것 같아."

"유메는 분명 시호루를 믿으니까. 잠시 동안 떨어져 있어도 괜찮을 거라고."

"…유메가 친구와 동료를 의심하거나 할 거라고 생각해?"

"생각하지 않아."

즉답하고 메리는 웃었다. 시호루도 웃음이 나왔다.

"…그렇지."

"유메는 강해져도 유메 모습 그대로일 거야. 나는 그런 느낌이 들어."

"의외로, 변할지도…?"

"그러면 그건 그거대로 유메다운 거야. 어떻든 괜찮아. 결국 유메가 무사히 있어주고 반년 후에 다시 만날 수 있으면, 그걸로…."

메리의 오른손은 시호루의 허리께에 있다. 왼손은 무릎 위의 타월을 만지작거린다.

"그렇… 지."

시호루는 오른손을 뻗어 메리의 왼손을 잡았다. 예상외였는지 메리는 순간적으로 몸이 굳었다. 만약 뿌리친다고 해도 시호루는 꼭 붙잡고 놓지 않았겠지.

"이렇게 메리가 있어주니까, 나는 괜찮아. …무슨 일이 있어도, 메리는 메리니까."

메리는 고개를 숙이고서 뭔가 생각하고 있다. 아무리 서로를 인정하고 거리를 좁힌다고 해도 사람과 사람은 각각의 존재다. 시호루는 유메의 결의를 간파하지 못했다. 메리의 속마음도 추측밖에는 할 수 없다.

단지, 적어도 추측하려고 할 수는 있다. 완전히 이해할 수는 없어도, 메리가 깊이 고민했고 괴로워한다는 것 정도는 안다.

시호루는 메리의 고뇌를 해결해줄 수 없다. 유익한 조언을 해주는 것조차 힘들겠지. 시호루의 존재 같은 것은, 메리에게 도움은 되지 못할지도 몰라.

그래도… 나는 여기에 있으니까.

설령 너 따위 필요 없다는 말을 듣는다 해도, 서로 목숨을 맡겼던 친구를 싫어하게 되지는 않을 거고, 어떤 일이 일어나도 포기하지 않아. 질척거리는 것 같아서 내가 생각해도 정말로 기분 나쁘지만, 어쩔 수 없어. 왜냐하면, 이게 나니까.

"…다행이다."

메리는 중얼거리는 것처럼 말하고 시호루의 손을 맞잡았다. 뭐가 다행인지. 시호루는 굳이 묻지 않고 상상하는 데 그쳤다.

좀 더 파고들면 좋을 텐데, 라고는 생각한다. 하지만 무리는 하지 않는다. 나에게는 내 페이스가 있고, 나 이외의 내가 될 수는 없다.

그림갈에 왔을 무렵에는 내 보폭조차도 가늠할 수 없었다. 조금씩이다. 아장아장 걸어와서 이제야 자기 자신을 발견하기 시작했다. 시호루는 최근 그런 느낌이 든다.

그러기에 때때로 자신을 잃어버린 것처럼 메리가 걱정된다. 시호루는 이렇게 손을 잡는 정도밖에는 할 수 없다. 그 이상은… 내가 아니라.

하루히로 군.

아마도 당신밖에 할 수 없을 거야. 제대로 알고 있는 거야…?

갑자기 방문이 열려 긴장했다. 자기도 모르게 메리에게서 약간 떨어졌고, 그리고 난 다음에 별로 당황할 필요는 없었는데… 라고 다시 생각했다.

세토라가 방에 들어왔다. 이 숙소에는 놀랍게도 남녀별로 훌륭한 목욕탕이 따로 있다. 방을 비우는 것도 조심스러워서 우선 시호루와 메리가 목욕을 했다. 그사이에 방을 지키던 세토라가 혼자 목욕탕으로 갔다가 지금 돌아온 것이다.

"…빠, 빨리 했네."

"아, 그런가?"

세토라는 타월로 머리를 닦으면서 시호루와 메리가 앉아 있는 침대와는 다른 침대로 걸어가 걸터앉았다. 베레 시장에서 산 면제품 옷으로 갈아입었다. 앞에서 여미는 형태의 간소한 옷으로 허리띠를 잘 매지 않으면 쉽사리 풀리고 만다. 길이가 무릎 위까지밖에 오지 않아 좀 무방비하다. 시호루라면 도저히 입고 돌아다닐 수 없다.

세토라는 침대에 누워서 위를 보고 있다. 한 번 숨을 내쉰다. 실제로는 그런 게 아닐 수도 있지만, 아마 어색한가 보다… 고 생각해 버린다.

세토라와의 사이에는 아무래도 벽이 놓여 있다고 느낀다.

이 황금 산양관은 제법 고급 숙소로 1박 1실에 5실버나 한다. 그렇지만 다소 사치를 부릴 정도의 돈은 있으니 남자 방과 여자 방 두 개가 아니라 개인 방을 다섯 개 잡을 수도 있었다. 시호루는 둘째치고 세토라가 거북해할 테니 그렇게 하면 좋았을걸.

"말해두는데."

세토라가 입을 열었다.

"너희들과 허물없이 어울리지 못하는 데에 관해서 나는 딱히 아무렇게도 생각하지 않는다… 는 건 아니다."

메리가 "…어"라고 작은 목소리를 흘리며 고개를 갸웃거렸다. 시호루도 세토라의 말을 곱씹느라 약간 시간이 걸렸다.

세토라는 두 다리를 들어 올렸다. 옷자락이 미끄러져 늘씬한 다리가 다 보였다.

무엇을 하고 있는 거지? 두 다리를 천천히 들기도 하고 내리기도 했다.

운동인가?

"나는 타인과 친해지는 데에 서툴다. …어폐가 있나. 타인과 친목을 도모한다는 것을, 나는 거의 하지 않았다. 전혀 없었다고 해도 될지도 모른다. 인조인간이나 냐아와 달리 인간이라는 생물은 골치 아프니까. …이것도 어폐가 있나? 음, 배려를 하면서 말하는 것은 어렵네…."

우선 상대방을 배려할 때에는, 배려를 하고 있다고는 말하지 않는 거라고 지적해줘야 할까? 하지만 세토라 나름대로 배려의 필요성을 느끼고 가능한 한 배려를 하고 있는 것 같아 불쾌하지는 않았다.

"…저기, 그러고 보니, 냐아는?"

"키이치 말인가? 거리를 탐색하고 있지 않을까? 그것은 호기심이 굉장히 왕성하다. 냐아치고는 드물다. 야생의 냐아는 자기 구역에서 벗어나려고 하지 않는 생물이니까."

"여행에는, 맞지 않나?"

메리가 묻자 세토라는 두 다리를 들었다가 내리는 행동을 멈췄다.

"…응, 원래는. 촌락에서 키우는 냐아는 이동에 익숙하지만, 그래도 잠자리에는 그 냐아의 냄새를 묻혀준다. 그러지 않으면 안정이 되지 않는 것 같다."

메리는 그렇구나… 라며 고개를 끄덕였고, 뭔가 질문하려고 했었는지도 모르지만, 생각나지 않았던 것 같다. 시호루도 생각나지 않는다.

세토라는 또 두 다리를 들어 올리려고 하다가 도중에 그만두고 드러누운 채로 무릎을 세운 자세가 되었다. 그로부터 꽤 긴 시간 동안 침묵이 이어졌다. 하지만 어쩌면 시호루가 길다고 느낀 것뿐이고, 실은 그리 긴 시간이 아니었는지도 모른다.

"…내 멋대로 촌락에서 끌고 나와서, 수많은 냐아를 죽게 만들었다."

세토라는 두 손으로 얼굴을 가리고 깊은 한숨을 내쉬었다.

"나는 나쁜 주인이다. 엠바도 망가뜨려버렸다. 다시 만들어줄 수 있을지 어떨지. 지금으로서는, 촌락에 돌아갈 생각은 없으니까 희망은 희박해."

시호루는 메리와 서로 얼굴을 마주 보았다.

어쩌지? …어떻게, 하면 좋다고, 생각해?

유메라면 분명 주저하지 않고 위로해주려고 할 것이다. 상대가 세토라가 아니라… 아니, 동료인지 아닌지, 종족이 뭔지, 그런 건 상관없이 유메는 타인에게 공감할 수 있고, 어떤 것에 마음이 기울어지면 그것을 순순히 인정해버린다. 시호루는, 그리고 메리도 유메처럼 아무 편견을 갖지 않고 누군가를 생각해줄 수는 없다.

"…인간에게는."

세토라는 울고 있는 것일까? 목소리는 떨리지 않는다. 평소와 같다.

"겉과 속이 있다. 표면적인 언행으로 속마음을 숨긴다. 거짓말을 한다. 태연하게, 자기 자신에게도. 어릴 때에는 그게 기분 나쁘다고 생각했지만, 지금은 그렇지도 않아. 모두, 지키고 싶은 것이 있고, 각각 필사적인 것이겠지. 단, 일일이 구애받을 수는 없다. 그렇게까지 흥미도 없어. …그렇게 생각했었다. 엠바가 있고, 냐아들에게 둘러싸여 있으면, 그걸로 좋았다. 그랬어야 했다. 나는 잘못한 건가? 하지만 후회는 하지 않아. 깨닫지 못했지만, 촌락을 나와서, 나는 후련하다. 촌락 생활은 답답했지만 밖으로 나가려고는 하지 않았었다. 그런데 지금은 오히려 신기하다. 어째서지? 왜 나는 진작 촌락을 뛰쳐나오지 않았던가? 무서웠던 건가? 불안했던 건가? …아무튼 나는 촌락을 나왔다. 이제 돌아가고 싶지 않아. 촌락에 돌아가지 않으면 엠바를 다시 만들 수 없는데도. 그래도 돌아갈 마음이 들지 않아. 엠바는 불쌍하다. 하지만 나는 불쌍하지 않아. 어떻게 말하면 될까? 살아 있다는 실감이 들어. 이런 식으로 살았던 적은, 지금까지는 없었다."

"즐거워?"

메리가 짧게 묻자 세토라는 두 손을 얼굴에서 뗐다.

"…즐거운, 건가? 그런지도 모르고 아닌지도 몰라. 엠바와 냐아들을 잃은 것치고는 의기소침하지도 않으니까. 불만은 적다."

"불만이 아주 없… 는 건 아니고?"

이번에는 시호루가 물었다. 세토라는 일방적으로 자기 이야기를 하고 메리와 시호루는 확인 같은 질문을 할 뿐이다. 서툰 소통 방법이라고 생각했지만, 서로에게 현시점에서는 이것이 최대한이겠지.

"…그렇군. 불만이랄까. 사실대로 말하자면, 소외감 같은 것을 느끼는 적이 있다. 분명 소외감이 맞다고 생각하는데. 나는 태어난 집에서도 배척당했었으니 익숙하고, 별로 아무렇지도 않다. 철이 들 무렵부터 나는 반항적이었고, 따라야 할 집안에 순종하지 않았다. 그 결과, 어떻게 될지는 알고 있었지만, 나는 부모의 말대로 되기가 싫었고 촌락의 규율에 굴복하지 않았다. 지금은… 그때만큼 딱딱하지는 않아. 그렇다고 해서 너희들에게 양보를 구하는 것도 아니고. …예를 들자면, 내가 하루를 좋게 생각하고, 그러니까 하루에게도 나를 좋게 생각하라고 요구하는 것은 도리가 아니다. 내가 어떠한 수단으로 하루를 날 따르게 한다고 해도 마음은 나를 향하지 않는다. 내가 끝끝내 내 집안을 따르지 않았던 것처럼. 하루는, 신관… 메리, 너를 좋아하니까."

여기서 단언할 줄이야.

시호루는 곁눈으로 메리의 상태를 살폈다. 메리는 굳어 있다. 동상이다. 동상이 되어버렸다. 아무리 그래도 눈치를 못 채지는 않았을 거라고 생각했는데, 그런 점에서 메리는 어떤 의미로는 유메보다도 4차원인지도 모르고 가늠하기 힘든 점이 있다.

자연스럽게 서로 좋아하는 거야… 라고 말해주고 싶다. 그러면 메리는 어떻게 대답할까? 의외로 '왜?'라고 깜짝 놀란 얼굴로 물을지도 몰라.

계속 옆에 있었기 때문에 가끔씩 잊어버리지만, 메리는 객관적으로 보면 접근하기 힘들 정도로 예쁘다. 몸매도 좋고. 시호루는 솔직히 부럽지만, 다른 사람들과 너무 다르면 고생도 있겠지. 아무래도 메리는 연애와는 그리 인연이 없었던 듯 잘 모르는 것 같고 꽤나 둔감하다. …하루히로 군도 노련한 것과는 거리가 멀고 좀 어리다고나 할까?

그렇다는 건, 정신적으로는 양쪽 다 어린아이인가?

어렴풋이 우려한 적은 있지만, 이대로 내버려두면 언제까지고 진전이 없을지도?

뭔가 하는 게 좋을까? 뭔가 하다니, 어떻게?

시호루도 경험이 풍부한 것이 아니다. 뭐랄까, 짝사랑과 망상밖에는 싸울 무기가 없는 셈이니까 힘이 되어줄 수 있을 것 같지가 않다.

세토라는 한 번 숨을 내쉬고 중얼거리는 것처럼 "…뜻대로 잘 안 되는 것이로군"이라고 말했다.

"…그러게."

시호루는 아직 온몸이 경직된 메리의 옆얼굴을 바라보면서 동의했다.

정말로 뜻대로 안 되는 일투성이다. 마치 끝없는 외줄타기를 하는 것 같은 기분에, 때때로 뛰어내려서 편해지고 싶어진다. 하지만 나는 절대로 그런 짓은 하지 않겠지.

간단히 놓아버리기에는 아쉬운 것, 사랑스러운 것이 시호루에게는 너무나 많다. 아무리 그것들을 소중하게 여겨도 바로 다음 순간에는 잃어버릴지도 모른다. 품고 있을 수 있는 것은 어쩌면 지금뿐인지도 몰라.

　유메에게는 유메의 삶의 방식이 있으니까 헤어질 수밖에 없었다
고 생각한다.

　하지만, 보고 싶어, 유메.

　헤어진 지 얼마 되지도 않는데, 이토록 만나고 싶어.

　"결국 우리는 각자가 고유한 문제를 떠안고 있다는 것이다."

　세토라는 그렇게 말하고 아주 약간 웃었다.

　시호루는 목소리로는 내지 않고 덧붙였다.

　…그리고, 우리는 살아 있어.

"…그보다 있지, 이상하잖아. 그 케지만인지 하는 사람. 분명히."

램프를 끄고 방을 캄캄하게 한 후에도 별로 대수롭지 않은 일을 쿠자크는 말하고 있다. 사실 쿠자크가 거의 일방적으로 말하고 하루히로는 맞장구를 치는 것뿐이다. 그런대로 졸리기도 했고.

"그야 뭐."

"그래도. 그렇게 좀, 뭐랄까, 이상한 사람이 아니면 오히려 문제일지도."

"그런 점은 있지."

"빈틈없는 느낌은 아니잖아. 오히려 빈틈투성이랄까."

"응."

"아니, 뭐, 그런 척하는 것뿐인지도 모르지만. 우리가 속고 있는 건지도 모르고."

"조심은 해야지."

"그 점은 하루히로한테 맡길게. 나는, 알다시피, 뭐더라."

"응."

"…………."

"쿠자크?"

"……………………."

"놀랄 정도로 갑자기 훅 잠드네. 너는…."

괜찮긴 하지만, 뭐.

하루히로는 침대 위에서 몸을 뒤척였다.

창문은 열어놓은 채로 있다. 약간 바람이 분다. 그래도 좀 더워서 얇은 이불을 배 주위에만 덮었다.

배를 타고 있는 동안에는 실감이 없었지만, 이렇게 숙소에 묵으니 정말로 부자가 되었구나 생각이 들어서 불안해졌다. 1,000골드. 지금은 침대 밑에 숨겨놓았다. 어떻게 해야 할까? 갖고 있으면 도둑맞는 건 아닐까, 혹은 이상한 놈이 접근하는 건 아닐까, 생각하고 만다. 정신 위생상 별로 좋지 않으니 차라리 시원하게 써버리고 싶지만, 하루히로의 독단으로 그럴 수도 없다. 무엇보다도 적당한 사용처가 있는 건가?

예를 들면, 쿠자크의 갑옷을 맞춤 제작으로 한 세트 장만한다고 해도 100골드도 안 든다. 천 골드면 집을 사도 거스름돈이 돌아온다. 배도 여유 있게 살 수 있겠지. 그렇지만 집이든 배든 의용병에게는 불필요하다. 소유하고 있어봤자 스스로는 관리할 수 없고 유지비만 드는 것도 한심한 이야기고.

"…관둬버리는 방법도, 없지는 않지."

굳이 목소리로 내서 중얼거려봤다.

쿠자크는 숨소리를 내며 잠들어 있다.

1,000골드나 있으니까. 유메 몫은 남겨놓는 걸로 하고 여섯 명이서 공평하게 나눈다고 해도 1인당 166골드에 좀 남는다. 평생 놀고먹을 수 있을지 어떨지는 모르지만, 쓸데없이 낭비하지만 않으면 10년이나 20년은 유유자적하게 생활할 수 있다. 10년, 20년이라고 하면 길지만 1년이나 2년이라면 느긋하게 지내는 것도 나쁘지 않아. 왜 아무도 그런 말을 꺼내지 않는 건가?

반년 후에 오르타나에서 유메와 만날 약속을 했다. 그렇기는 해도, 그때까지 꼭 의용병으로서 계속 활동해야 하는 것도 아닐 텐데.

오르타나에는 간다. 반년 후에 유메와 만난다. 그 이외는 자유다. 장기 휴가를 즐겨도 된다. 의용병에서 은퇴하는 건 큰일이니까, 우선은 모두와 떨어져서 뭔가 다른 일에 손을 대보는 것도 가능하겠지. 그런데 하루히로를 포함해서 그 누구도 그런 생각은 하지도 않는다.

그렇다. 어디까지나 하루히로 본인도 만약을 위해 머릿속에서 여러 가지 가능성을 검토해본 것뿐이다. 하루히로 일행은 지금까지처럼 의용병 가업에 전념하겠지.

하지만, 언제까지 이어질까?

새벽 연대의 아키라 씨는 분명 40대였을 것이다. 그럭저럭 20년 이상 의용병을 하고 있다. 20년이다. 히요무라던가 하는 여성의 안내로 하루히로가 처음으로 의용병 사무소를 방문하고 나서 아직 5년? 6년? 아니야. 왠지 아주 옛날 일처럼 느껴지지만 실은 그로부터 2년도 지나지 않았다. 20년이라니 정신이 아득해진다.

앞으로 18년인가.

솔직히 살아남을 거라고는 도저히 생각할 수 없다. 의용병의 생존율은 어느 정도일까? 높지는 않을 것이다. 하루히로도 이미 죽었어도 이상할 것 없는 상황을 몇 번인가 경험했다. 몇 번인가? 아니. 몇 번이나다.

몇 번이고 생사의 갈림길에 서다 보니 위기 회피 능력 같은 것이 몸에 배었다. 정말 그런 거라면 좋겠지만 사실 하루히로는 얼마 전에도 죽을 뻔했었다. 물론, 좋아서 일부러 위험 부담을 무릅쓰는 것이 아니고, 가급적 신중하게 행동하려고 하는데도 이 꼴이다.

문득 생각한다.

조만간, 그리 멀지 않은 훗날에 나는 죽겠지. 어쩌면 죽지 않을지도 몰라. 정신이 들고 보면 아키라 씨네처럼 20년 동안 전사 노릇을 하고 있다거나 할지도 모르지만, 그렇게 되지 않을 확률 쪽이 압도적으로 높겠지.

요절하고 싶은 것이 아니다. 오래 살고 싶다면, 접을 때를 잘 판단해야 한다.

아키라 씨는 천재가 아니라고 그의 동료인 고호는 말했었다. 천재 타입이 아니라는 것은 확실하다고. 단지 아키라 씨는 살아남았다. 운 좋게 살아남아서, 아키라 씨에게는 시간이 주어졌다. 그리고 강해졌다. 강했기 때문에 살아남은 것이 아니다. 살아남았으니까 강해질 수가 있었다.

"…어떻게든 말할 수 있지. 결국은 갖다 붙이기 나름."

만약에 하루히로가 살아남으면 아키라 씨처럼 강해질 수 있을까? 이래 봬도 진지하게 사느냐 죽느냐 하는 갈림길에서 버텨왔으니까 안다. 사람은 평등하지 않아. 갖고 태어난 소질, 재능, 능력의 한계라는 것은 역시 있다. 총체적으로 봐서, 아무리 생각해도 아키라 씨는 비범하고 하루히로는 평범하다.

평범한 사람이라도 엄청난 행운을 만나면 의용병으로 20년 동안 살아남을 수 있을지도 몰라. 하긴 있을 수 없는 일이라고는 할 수 없겠지. 하지만 아키라 씨처럼 이야기로 전해지는 전설적인 의용병이 되는 일은 천지가 뒤집어져도 절대로 없을 것이다. 노 찬스다. 그리고, 그 점은 하루히로에게 중요하지 않다.

하루히로는 거물이 되고 싶은 것도, 대부호가 되고 싶은 것도 아니니까. 내가 생각해도 좀 욕망이나 야심 같은 것이 더 있어도 좋을 텐데… 라는 생각이 들기도 하지만, 억지로 쥐어짜 내는 것도 아닐 테고, 전혀 그럴 마음이 생기지 않으니 어쩔 수 없다.

　문제는, 만약 하루히로가 살아남는다고 해도 동료들은 목숨을 잃을지도 모른다는 것이다. 지금 옆 침대에서 코를 골기 시작한 쿠자크가 내일 숨이 멎고 차가운 시신이 되어 있을지도 모른다.

　하루히로는 일어났다. 침대가 삐걱거렸다. 쿠자크는 잘 자고 있다. 하루히로는 신발을 신고 침대에서 내려와 조용히 방을 나갔다.

　복도는 불이 꺼졌다. 멀리 있는 계단은 아직 램프가 켜져 있는 듯, 그쪽에서 불빛이 스며들어왔다.

　이 숙소, 황금 산양관은 4층 건물이다. 2층부터 4층에 객실이 있다. 2층 객실은 4인실이고 이곳 3층은 2인실. 4층에 있는 것은 몇 칸이 이어진 커다란 객실 같다. 오르타나와 달리 베레에는 4~5층 건물들이 더러 있다.

　하루히로는 계단을 통해 2층으로 내려왔다. 자기도 모르게 여자들이 묵는 방문을 힐끔 보고 말았다. 벌써 다들 자고 있을까? 아니면 아직 안 자고 뭔가 이야기를 하고 있을까? 시호루와 메리는 그렇다 쳐도, 거기에 세토라가 끼면 어떤 분위기가 되는 걸까? 시호루와 메리는 말이 없는 편이고 대화가 무르익을 것이라고는 생각할 수 없다.

　"유메가 있다면…."

　하루히로는 발소리를 내지 않고 여자들의 방 앞을 지나쳐 복도 막다른 곳에 있는 문을 열었다. 그 앞은 나무 덱으로 되어 있다. 왠지 누가 있지 않을까 하는 예감이 머리 한구석에 없지도 않았지만, 그렇지는 않았다.

"…뭘, 기대하는 거야?"

슬며시 웃으면서 손잡이를 잡았다.

한숨이 나왔다.

황금 산양관은 세련되고 조용한 지역에 있어서 그 주변을 순찰하는 야경의 램프 같은 빛이 이 나무 덱에서도 보였다. 훌륭한 경비도 이 일대에 몇 채나 있는 다소 비싼 숙소의 장점이다. 물건뿐만이 아니라 안전도 또한 돈을 지불해서 사거나 스스로 확보하는 수밖에 없다.

하루히로는 난간에 팔을 올리고 볼을 괴었다. 이만한 크기의 거리라면 직업적인 도둑도 그런대로 있겠지. 강도 살인 같은 것도 일어나거나 할지도 모른다. 지금도 어딘가에서 누군가가 누군가에게 살해당하고 있을지도 모르고, 이 순간에 병으로 숨을 거두려는 자가 한두 명 있어도 이상할 것 없다. 확실하게 몸을 지키고 건강에 충분히 유의해도 미증유의 큰 재앙과 마주치게 된다면 저항할 길이 없다.

의용병을 하지 않아도 죽을 때에는 죽는다.

그것은 그렇지만, 이 일은 깎여나간 목숨만큼 버는 것 같은 측면이 있다.

죽어도 좋다고는 어떤 의용병도 기본적으로는 생각하지 않겠지만, 죽지 않을 정도로 위험을 무릅쓸 수밖에 없다는 의식은 있겠지.

그러다가 감각이 마비되어간다. 아니, 이미 상당히 둔감해졌다.

생각해보라고. 견습 의용병이 되었을 무렵에 하루히로는 지금보다 훨씬 겁쟁이였을 것이다. 무기를 들지 않은 진흙 고블린조차도 무서워서 견딜 수가 없었다.

…목숨이 왔다 갔다 하는 거니까…!

마나토가 그렇게 외쳤었다. 그 말을, 하루히로는 까맣게 잊고 있었다. 의용병 가업은, 즉 목숨이 오고 가는 것이니까 더할 나위 없을 정도로 진검승부의 연속이다.

"…간단할 리가, 없나."

누구나, 어떤 생물이나, 죽고 싶지는 않으니까, 라고 마나토는 말했다. 그리고 마나토도 죽고 싶지 않았을 텐데, 동료를 두고 먼저 떠나버렸다. 그것이 하루히로 팀의 원점이었다.

아득히 멀게 느껴지는 그 장소에서부터 하루히로는 얼마나 걸어온 것일까?

"그게, 아니야…."

실제로는 걸어 나가지 못했다.

목숨은 이번 한 번뿐이고 죽으면 거기에서 끊기고 만다. 그 대원칙은 무슨 일이 있어도 변함없다. 바꿀 수가 없는 것이니까, 우리의 기술이 향상하거나 강한 적을 상대하게 된다고 해도 본질은 같다. 죽고 싶지 않은 생물이 죽고 싶지 않은 생물을 죽이고, 식량을, 이익을 얻고. 일희일비한다.

죄 많은 가업이라고 느낀다면 진즉 그만뒀겠지. 이 손으로 죽인 생물을 짓밟거나 기뻐하는 취미는 없지만, 그렇다고 자신을 좀 나은 부류라고도 생각하지 않는다. 생물에게서 하나밖에 없는 목숨을 빼앗아놓고서 강렬한 혐오감이나 자책감에 시달리는 일도 없이, 다소 뒤끝이 안 좋다고는 해도 얼마 지나면 기억조차 나지 않는 것이다.

그야 우리도 마찬가지니까. 목숨이 오가는 상황을 겪으며 운 좋게 이긴 것뿐이다. 지면 죽는다. 그 조건은 마찬가지고, 우리도 언젠가는 그쪽으로 갈 테고.

피차 목숨은 한 번뿐이라는 전제가 있으니까, 원망하기 없다···라고 이기적인 생각을 할 수 있는 건지도 모른다.

"···그래도."

하루히로는 난간에 이마를 댔다.

만약에, 그게 아니라면?

　…가끔씩 알 수 없게 된다. 가끔씩? 항상? 빈도가 아닌 건지도 모른다. 횟수? 중요성? 그렇게 깊게 생각할 것 없어. 익숙해지니까. 무슨 일이든 익숙해지기 마련이야. 시끄러워. 시끄러워. 하지 마. 뭘? 하지 말라니? 아무것도 하지 않는데. 하고 있잖아. 하고 있어. 기분 탓이야. 뭔가 하고 있는 게 아니야. 아무도. 나댈 생각은 없어. 알고 있으니까. 다 경험한 바니까. 그렇지. 진정하는 게 좋겠어. 숨을 쉬고, 천천히. …심장의 고동은 컨트롤할 수 없다. 내버려둬도 맥박이 뛰는 것이니까. 의식적으로 멈출 수는 없다. 호흡이다. 호흡을 컨트롤한다. 들이켜고, 내쉬고. 들이켜고, 내쉬고. 멈춰. 멈춰. 멈춰. 멈춰. 그대로. 멈춰. 멈춘 채로. 괴로워? 그래도, 별일 없어. 괜찮아. 죽지는 않아. 아니, 이렇게 말하는 건 정확하지 않은가? 그 정도로는 죽지 않아. 이 목숨은 심장 같은 거야. 스스로는 어떻게도 할 수 없어. 금방 받아들이게 돼. 점점 알게 될 거야. 이것이 어떤 일인지를. 그래. 그렇지. 무슨 일이든 익숙해지기 마련이니까. 살아 있기만 하면. …살아 있어. 이것이 과연 그렇게 말할 수 있는 건지, 그런 건 생각하지 마. 다들 생각했던 일이니까. 같은 짓을 몇 번이나 반복하는 건 어리석어. 시간 낭비야. 다소는 낭비해도 된다는 의견도 있어. 하긴. 그럴지도 몰라.

　그만해.

　아무것도 안 해. 아무것도.

그만해.

신경 쓰지 않으면 돼.

그만해.

심장 같은 것이니까. 시간은 있어. …그만해.

그만해.

엄청 많아. 익숙해지기 위한 시간은. 받아들일 수 있어. 어차피 받아들이는 수밖에 없으니까. 좀 더 편한 방법도 있어. 간단한 길을 선택하는 것도 좋겠지. 가르쳐줄게. 알고 싶다면.
뭐야?
…그것은?

추천은 하지 않겠지만.
그래. 추천하지 않아.
그래도, 그렇게 하면 편해질 수 있어. 들이켜.
내쉬어. 들이켜. 내쉬어. 들이켜.
괴롭나?

그럼 그만두면 돼.

포기해버리는 거야.

컨트롤 같은 건 하지 않아도 돼.

그냥 버리면 돼. …무엇을?

무엇을, 버리면 돼?

알잖아?

나 자신.

나?

괜찮아.

딱히 지장을 초래하지는 않아.

그야 그렇지. 지장이라고 느끼는 일조차 없게 될 테니까.

편해질 수 있어. 해방해.

거기에 있다고 생각하니까 힘든 거야. 나는 거기에 분명히 있다고 각인시키는 것처럼 의식하는 건, 의외로, 제법 힘들지?

줄곧 계속 각인시키지 않으면 안 되니까.

예를 들면 바늘로 찌르는 것처럼.

콕 콕 콕 콕.

가느다란 바늘이니까 손으로 집는 것도 힘들고.

자칫하다가는 떨어뜨려 잃어버리게 돼.

나. 나. 나. 나. 나. 나. 나. 나. 나. 나. 나. 나. 나. 나. 나. 나. 나.
나. 나. 나. 나. 나. 나. 나. 나. 나. 나. 나. 나. 나. 나. 나. 나.
나. 나. 나. 나. 나. 나. 나. 나. 나. 나. 나. 나. 나. 나. 나. 나.
나. 나. 나. 나. 나. 나. 나. 나. 나. 나. 나. 나. 나. 나. 나. 나.
나. 나. 나. 나. 나. 나. 나. 나. 나. 나. 나. 나.

매 순간마다 그 바늘을 손등이나 어딘가에 찔러서 각인시킨다.
그렇게까지 애쓰지 않아도 돼. 힘들지?

피곤하면, 쉬면 돼.

무리 같은 것 하지 말고, 쉬자.

쉬는 거야.

쉬어요.

쉬어.

자, 쉬자.

하지 마.

눈을 뜬다. 어두워도, 보인다. 숨을 쉰다. 호흡이다. 들이켜고.
내쉬고. 들이켜고. 내쉬고. 들이켜고. 내쉬고. 심장은 컨트롤할 수
없어도 호흡이라면 컨트롤할 수 있다. 실감할 수 있다. 나는 여기에
있다고. 호흡을 컨트롤하고 있다. 이것이 나다. 나. 나. 나. 나. 나.
나. 나. 나. 나. 나. 나. 나. 나. 나. 나. 나. 나. 나. 나. 나. 나.
나. 나. 나. 나. 나. 나. 나. 나. 나. 나. 나. 나. 나. 나. 나. 나.
나. 나. 나. 나. 나. 나. 나. 나. 나. 나. 나. 나. 나. 나. 나. 나.
나. 나. 나. 나. 나. 나. 나. 나. 나. 나. 나. 나. 나. 나. 나. 나.

매순간마다 바늘로 찌르는 것처럼 각인시킨다. 나는 있다. 여기에 있다. 나는 여기에 있다.

누군가 나를 봐줘. 내 목소리를 들어줘. 나를 느껴줘. 나를 껴안아줘. 부탁이니까. 가끔씩 알 수 없게 되는 거야. 가끔씩? 항상? 빈도가 아니라? 횟수? 중요성? 그렇게 깊게 생각할 것 없어, 라고, 나는 생각한다. 익숙해질 테니까, 라고. 무슨 일이든 익숙해진다. 이대로 가면, 나는 익숙해져버린다. 그러니까, 나를 봐줘. 내 목소리를 들어줘. 나를 느껴줘. 나를 껴안아줘. 부탁이야. 그래도, 그런 식으로 이용하고 싶지는 않아.

나는 불순하다.

이름은 자프라고 한다.

그야말로 튼튼해 보이는 그 머리에는 한 쌍의 무척 근사한 뿔이 솟아 있다. 얼굴이 크다. 긴 말상이다. 가느다란 눈은 평화를 더없이 사랑하는 것처럼 보이지만, 실제로는 어떨지? 동작이 느긋하고 온화해 보이기는 하다. 털이 많지만 갈색의 딱딱해 보이는 무성한 털은 그리 길지는 않다.

거구다. 쿠자크보다 키가 크다. 게다가 자프는 일어서지 않은 상태다. 가나로는 4족 보행을 하는 생물이니까 뒷다리로만 디디고 일어서는 적은 그리 많지 않겠지만, 그렇다 해도 크다.

가나로는 가축으로 그림갈에서 널리 사육한다. 인간도, 오크도, 다른 종족도 아주 옛날부터 가나로를 키워서 젖을 짜거나 고기를 먹거나 노동력으로 이용하거나 한 모양이다. 자주 보는 동물이라 친근감이 있다.

자프는 다른 녀석들보다 한 둘레 덩치가 큰 가나로다. 수컷인 줄 알았는데 암컷이라고 한다. 케지만은 그녀의 늠름한 목을 쓰다듬어 주면서 웃었다.

"이 녀석이 제 파트너랍니다. 와이프 같은 거죠. 왓하하핫."

조크라고 한 것일까? 잘 모르겠지만 웃기지는 않다.

그 자프가 끄는 상자 모양의 사륜 짐차는 비교적 자그마했지만 스프링을 이용한 현가 장치(서스펜션)를 달았다.

베스타르기스호.

승무원은 한 명이다. 좁게 앉으면 세 명 정도는 마부석에 앉을 수 있을 것 같지만, 케지만 왈, 어디까지나 한 명밖에 탈 수 없다고 한다.

자프 말고도 케지만은 니프라는 이름의 새를 데리고 있다. 스토르치라는 대형의 날지 못하는 새다. 야생 스토르치는 풍조 황야에 서식하는데 사람이나 오크는 따르지 않는다고 한다. 끈기 있게 품종을 개량한 끝에 만들어낸 사육종만이 사람이나 오크를 태우고 달린다. 단, 결코 스토르치 뒤에 서서는 안 된다. 그 엄청난 다리 힘으로 걷어차기 때문이다.

"니프는 내 친구랄까. 친구는 이 녀석만으로 충분합니다. 왓하하핫."

케지만은 일부러 니프의 뒤에 서서 강렬한 킥을 아슬아슬하게 피하는 곡예를 하루히로 일행 앞에서 선보였다.

"저라도 한 방을 피하는 것이 고작입니다. 곧바로 떨어지지 않으면 두 방째는 그대로 맞으니까요. 연속으로 한 방을 더 맞으면 거의 죽습니다. 실제 체험담입니다. 왓하하핫."

그렇게 되어, 케지만, 가나로 자프, 스토르치 니프, 사륜 짐차 베스타르기스호, 이상으로 구성된 상단을 오르타나에 도착할 때까지 25일간 호위하는 것이 하루히로 일행의 임무다. 식사와 물이 나오고 보수는 한 명당 30실버. 참고로 회색 냐아 키이치는 인원수에 넣지 않았다.

처음에 케지만이 제시한 조건은 하루당 1실버, 한 명당 25실버였다. 도저히 짭짤한 수입이라고는 할 수 없어 쉽사리 승낙하는 것도 부자연스러우므로 하루히로는 일단 교섭했다.

"저는요, 이 거래에 목숨을 걸고 있는 겁니다. 매번 그렇지만."

케지만은 한참이나 난색을 표한 끝에 30실버, 무슨 일이 있어도 더 이상은 낼 수 없다, 왜냐하면 돈이 없으니까… 라고 밝혔다.

"까놓고 말해서, 물건 매입에 거의 전 재산을 다 쏟아부었거든. 당신들에게 지불할 돈이 있을 리가 없지요. 당신들과 만나지 않았다면 혼자 갈까나… 생각했으니까요. 혼자서 가는 수밖에 없나 하고요. 어떻게 할래요? 갈래요? 말래요? 저는 어느 쪽이든 상관없어요. 당신들에게 달린 거요. 좋을 대로 하라고!"

첫인상 그대로 이 남자는 다소 위험하다. 약간 무서웠지만 얕보이고 싶지 않아서 버티다가, 물건을 오르타나에서 팔아 수익을 얻으면 보너스를 받는 걸로 최종적으로 합의를 보았다.

자유 도시 베레의 해신문(海神門)은 아침 6시 반에 열린다. 문이 열리자 바로 출발해서 길 없는 길을 남서로.

마부석에 앉은 케지만이 조종하는 베스타르기스호 뒤에서 니프는 묶이지도 않았는데도 따라간다. 하루히로 일행은 도보다. 실수로 니프 뒤에 위치를 잡았다가 걷어차이지 않도록 거듭 조심하며, 오로지 걷는다.

보잘것없는 무역상 케지만의 대상은 하얀 돌로 포장된, 그 이름도 바로 화이트 로드인 가도가 분명히 있는데도 불구하고 그것을 완전히 무시하고 들판이며 숲이며 언덕을 넘어 남서 방향으로 돌진한다.

다룽갈은 말할 필요도 없고 사우전드 밸리나 쿠아론 산맥보다는 훨씬 낫다. 이 상태면 25일간 계속 걸어간다고 해도 하루히로 일행에게는 편한 여행이겠지.

"그런데 아무것도 없네…."

쿠자크가 중얼거리자 마부석의 케지만이 풋후후훙 코웃음을 쳤다.

"뭐가 있으면 곤란하지요. 일부러 아무도 오지 않는 길로 가는 거니까. 저기요, 이제부터 할 필요도 없는 말을 하겠는데요, 당신들이 무지하기 때문이죠. 그 점을 이해하고 들어줬으면 하는데요, 이 근방은 강도, 산적이 우글거린다고요. 우글거린다고 해서 5만 명이 있다는 건 아닙니다요. 과연 그렇게나 있지는 않지. 하지만 정말로 많다고요. 나도 몇 번이나 습격당했었으니까."

시호루도, 메리도, 키이치를 데리고 있는 세토라도 케지만의 말은 웬만해서는 흘려듣기로 한 모양이다. 전혀 반응하지 않는다. 그 심정은 이해한다. 뭔가 참.

짜증이 나잖아. 하루히로도 가능하면 듣고 싶지는 않지만, 그래도 상대가 고용주이니 무시할 수도 없었다.

"…그래서 케지만 씨는 독자적인 루트를 개척한 거로군요."

"그런 거지요. 토모시비라거나, 레이더스라거나, 크래시 언더도 그라거나, 다슈바르 등등 이름난 도적단, 산적단도 엄청 많아서요. 그들에게 들켰을 때 금품을 갖고 있을 것처럼 보이면 끝이거든요."

"토모시비…."

"의용병 출신이지요, 토모시비는. 내가 보기에는 말이죠, 인생이 파탄난 인간은 오크나 언데드보다도 훨씬 흉악하지요."

"…아하, 그런 겁니까?"

"오크 같은 건, 보기보다는 신사적이랄까요. 뒤끝 없는 면이 있으니까요. 언데드는 좀 전반적으로 뭘 생각하는지 모르겠지만 쓸데없이 잔인한 짓은 하지 않지요. 감당이 안 되는 것은 도리를 벗어난 인간이지요."

"하아…."

"그렇기는 해도 토모시비 같은 무시무시한 놈들이라고 해서 무작정 습격해서 범하고 죽이는 건 아니랍니다."

"…흠."

"하아! 흠! 뭐야? 그게! 아까부터! 그게 뭐냐고! 제대로 좀 반응을 해! 모처럼 이야기하는 거니까!"

당신 이야기에는 그리 흥미가 없으므로 반응할 수가 없습니다.

그런 말은 하고 싶어도 하지 않는다. 말하면 조금 후련할지도 모르지만, 당연히 그 뒤에 골치 아파질 테니까.

"…위협한다거나 하는 겁니까?"

"그렇지요. 거봐요. 흥미가 생겼잖아요."

"…그렇게 보입니까?"

"좋아, 좋아. 그 마음가짐이에요."

"…야호."

"놈들의 상투 수단은 말이죠, 협박이랍니다. 얼마를 내놓으면 공격하지 않겠다, 이런 식으로. 자비로 제대로 된 호위단을 꾸릴 만한 대규모 상단이라면, 덤빌 테면 덤벼보라는 식이겠지만요. 강도도, 산적도 그런 상단은 습격하지 않는다고요. 누구나 목숨은 아까우니까. 결국 피해를 당하는 건 중소 업체지요. 나처럼 혼자서 하는 독립적인 상인은 지혜와 용기만이 기댈 곳이지요. 참고로 신부 모집 중입니다요!"

"…그렇군요."

"신부 대모집 중이라고요! 대대적으로, 엄청 모집 중이라고요!

어떻습니까?! 내 옆자리, 비어 있다고요?!"

케지만이 엉덩이를 옆으로 밀더니 그 자리를 찰싹찰싹 때린다.

여자들은 근사할 정도로 말이 없었다.

"왓하하핫! 괜찮아요, 괜찮습니다. 나처럼 이상을 추구하는 순수하고 무구한 남자는요, 대개 여자들은 이해하지 못하는 겁니다. 괜찮다고요. 전혀 괜찮다고요. 여차하면 돈으로 사버리면 되니까요!"

"…내추럴하게 저질이네요."

쿠자크는 자기도 모르게 말이 튀어나와버린 것 같다. 케지만은 순식간에 화를 내며 벌떡 몸을 일으켜 마부석 위에 섰다.

"인마! 누가 저질이야? 이 썩어빠진 미남이! 얼굴 좀 괜찮고 키가 꽤 크다고 잘난 척하고 자빠졌어!"

"아니… 별로 잘난 척하는 게 아닌데요."

"하잖아! 엄청 하잖아! 말해두겠는데, 나는 말이지! 단 한 번도 여자한테서 인기 있던 적이 없다고요! 교제 경험은 당연히 제로입니다! 하지만 말이죠, 돈을 내면 이런 나라도 욕구를 해소할 수는 있다! 이것이 현실이라는 거지요! 나를 사랑하지 않아도 사랑하는 척을 해주는 사람은 있다고요, 돈만 내면!"

"…저기, 뭔가, 미안합니다."

"나를 동정했지?! 아빠한테서도 동정받은 적 없는데?!"

이건 상당히 큰일이고 성가신 25일간이 될 것 같다. 고생길이 훤하다.

단지, 이런 유의 남자에게는 내성이 없는 것도 아니다. 게다가 오르타나에 도착하면 굿바이 할 수 있다. 기한이 정해졌다고 생각하니 그나마 견디기 쉽다.

첫날은 한나절에 걸쳐서 25~26킬로미터를 걸었고 좁은 산기슭에서 야영했다. 케지만은 잘 때에도 마부석에서 떨어지지 않는 것 같다. 하루히로 일행은 천막을 치고 교대로 보초를 섰다. 야행성 짐승의 울음소리가 들리기도 하고 기척이 느껴지기도 하는 정도였고, 무사히 아침을 맞을 수가 있었다.

둘째 날도 케지만이 짜증을 낸 것 빼고는 순조로웠다.

그리고 셋째 날도.

이렇게까지 아무 일도 일어나지 않으면 오히려 걱정이 된다.

그날 밤 하루히로는 보초를 서지 않을 때에도 잠을 깊이 자지 못했다. 아침 무렵에 짧은 꿈을 꿨다. 유메가 불쑥 나타나더니 어째서인지 표적이 되어달라고 하루히로에게 부탁한다. 할 수 없네… 였던가 뭐라던가 투덜리면서 표적이 되자 유메가 활을 겨누고 잇달아 화살을 쏘았는데, 전부 아깝게 빗나가버렸다. 안 맞네, 라며 유메는 웃고, 정말로 안 맞네, 라고 하루히로도 웃었다. 그래도 다음에는 맞을 것 같은 느낌이 들어, 라고 유메가 또 화살을 겨누고 활시위를 당겨, 아, 이건 한복판으로 오겠다, 생각했을 때 눈을 떴다. 무슨 꿈이람….

넷째 날도 오전 중엔 들판을 쾌조로 가로지르거나 완만한 언덕을 넘어가거나 조용한 숲을 어슬렁어슬렁 걸어가거나 역시 평온 그 자체였다. 마침내 초반의 고비가 찾아온 것은 그날 오후였다.

케지만이 갑자기 마부석에서 뛰어내려 달리기 시작했다.

"야호ㅇㅇㅇㅇㅇㅇㅇㅇㅇ…! 왔다, 이… 로… 토ㅇㅇㅇㅇㅇㅇ…에…!"

"이것이….."

하루히로는 볼과 턱을 문질렀다. 살짝 수염이 자랐다. 꽤 엷은 편이지만. 깎아야겠다.

숲을 빠져나가자 거기에는 강이 흐르고 있었다.

"…크네."

반짝이는 수면이 눈부신지 시호루는 눈을 가늘게 떴다. 아니, 오늘은 아침부터 약간 흐려서 아무데도 반짝거리지는 않는다. 분명 곤혹스러운 것이겠지.

"이 강은, 폭이, 어느 정도일까요…?"

쿠자크의 눈썹이 비틀린다. 유메라면 상당한 정밀도로 가늠할 수 있겠지만, 하루히로는 대충밖에 알 수 없다.

"200… 아니, 300… 좀 더인가? 400~500미터는 되는지도…."

물론 땅 위를 걸어가다 보면 강은 나오기도 한다. 지금까지도 강은 몇 개 건넜지만, 대부분 깊이는 고작해야 하루히로의 무릎 정도까지로, 물살도 빠르지 않았다. 오늘 중으로 강을 건널 예정이라는 말도 미리 케지만에게서 들었지만, 그 이로토가 이렇게까지 본격적인 대하일 줄이야.

니프가 어느 틈엔가 얕은 강기슭으로 내려가 강물을 맛있게 마시고 있다. 베스타르기스호에 묶여 강기슭에서 좀 떨어진 곳에 있는 자프는 왠지 부러워하는 것 같다.

케지만은 수면을 향해 납작한 돌멩이를 던지면서 놀고 있다.

"도대체 뭐야? 저 남자는. 바보인가? 바보 맞나?"

세토라는 자프를 베스타르기스호에 고정한 재갈을 재주 좋게 풀었다. 이걸로 자프는 자유롭게 움직일 수 있다. 자프는 세토라를 향해서 움머 하고 한 번 울더니 어슬렁어슬렁 강기슭까지 걸어갔다.

입을 강물에 처박고 물을 마신다. 꿀꺽꿀꺽 마신다. 그 옆에서 키이치가 손을 물에 적셔 얼굴을 문지르기 시작했다. 그것을 본 메리의 볼 근육이 풀린다. 하긴, 냐아가 저렇게 세수하는 몸짓은, 귀엽지. 응. 흐뭇하기는 하지만. 그건 그거대로.

시호루가 턱짓을 하며, "저 인간…." 케지만을 가리켰다.

"건널 수 없는 강이라고는 말하지 않았다고 생각하는데. …어떻게 해서 건너는 거지?"

"35단…!"

케지만이 의기양양하게 만세를 불렀다. 보아하니 던진 납작한 돌멩이가 35번 수면에서 튀었다는 뜻인 모양이다.

쿠자크는 "…젠장"이라며 고개를 숙이고 혀를 찼다.

"저거, 보고 있으면 나도 하고 싶어져…."

"해도 되는데. 그렇게 하고 싶으면."

"…그러지 마, 하루히로. 그런 말 들으면 진짜로 할 거니까."

"하라니까."

"그래도, 만약 진짜로 하면, 경멸할 거잖아, 나를. 저 사람과 동급으로 취급할 거지?"

"안 그래."

"분명히 그럴걸! 안 돼. 참을래. 이런 일로 하루히로에게서 경멸을 사면 나는 앞으로 살아갈 수 없어."

"그렇게까지 내 눈을 신경 쓸 필요 없잖아…."

"신경 쓰여, 그야!"

"37단…!"

그러는 동안에도 케지만은 돌멩이를 계속 던져 기록을 경신한 모양이다. 뭘 신나게 놀고 있는 거야? 엄청 즐거운 것 같은데요. 하고 싶어지… 지는 않아. 할 리도 없고.

"저기요."

하루히로가 말을 걸자 케지만은 "잠깐 기다려!"라고 외치자마자 손을 머리 위로 힘껏 올리더니 또 돌멩이를 던졌다. 돌멩이는 수면을 거의 미끄러지는 것처럼 몇 번이나 튀었다가 강물 속에 가라앉았다. 케지만은 "이예에에에에에에에에에에에에스…!"라고 포효하며 손으로 V자를 그렸다.

"39단…! 이겼다! 제에에에에에에에에에에에에트…!"

"제트라니…."

딴지를 걸지 않는 편이 좋다는 건 알고 있으면서도 저도 모르게 그만 딴지를 걸어버렸다. 케지만은 돌아보더니 오른손 가운뎃손가락으로 안경을 쓱 올렸다.

"나는 말이죠, 나 자신에게 이긴 겁니다! 자기 자신과의 승부에서!"

"아니, 그게 아니라, 제트가 뭐냐고…?"

"훗훗훗훗훗…."

케지만은 갑자기 웃기 시작했다.

"와… 앗핫핫핫핫핫핫핫핫핫…!"

크게 웃는다. 정신 나간 듯이 웃는다. 맛이 갔어. 처음부터 이상하다고는 생각했지만, 이상함의 수치가 점점 내 예상 범위를 뛰어넘는다. 뭔가 손을 쓰지 않으면 안 될지도 몰라. 케지만을 홀로 두고 도망친다거나. 그건 아직 이르겠지. 어떨까?

문득 자프 쪽으로 눈길을 향하니 세토라와 키이치가 그 등에 타고 있었다.

"…엇… 어?"

"응? 뭐야?"

"아니, 뭐가 아니라…."

"우어이어이어어이어어이이이이이이?! 자프는 탈것이 아니라고요!"

케지만의 안색이 변했지만 세토라는 태연자약했다.

"동물이니까. 애초부터 탈것이 아니다."

"그런데 왜 탄 거야?! 왜 타버린 거냐고?!"

"탈 수 있을 것 같으니까 타본 것뿐이다. 잘못인가?"

"무슨 근거로 잘못이 아니라고 생각하는 건지 오히려 내가 묻고 싶다제에에트! 그런데, 이 상황이라면 아무렇지 않게 말해버릴 수 있을 것 같으니 이참에 발표해버리고 싶다고 생각하는데요, 여기에서는 강을 건널 수 없습니다! 건널 수 있었는데 말이죠! 아무래도 건널 수 없을 것 같다고요! 유감…!"

시호루는 입을 떡 벌리고 몇 번 연속으로 눈을 깜빡였다.

메리는 한순간 얼굴이 굳었지만, 그 후에 어째서인지 미소 지었다. 좀 무서웠다.

"뭡니까? 그게."

쿠자크는 그렇게 말하고 나서 잠시 있다가 "하앗?!" 하고 눈을 까뒤집었다.

"…어… 어떻게 된 일? 헛…?!"

"너무 놀라잖아…."

하루히로는 한숨을 내쉬었다. 확실히 놀라긴 했지만. 머리가 아파졌다.

"…그래서 딴청을 부리고 있었군. 아무래도 이상하다고 생각했어
…."

"이야, 면목 없네."

케지만은 만면에 웃음을 띠고 꾸벅꾸벅 고개를 숙였다. 사과하려
면 좀 더 미안한 것처럼 하면 좋을 텐데, 왜 사람 신경을 거스르는
짓을 하는 건가? 이해하기 힘들다.

"그래서, 어떻게 할 거야?"

세토라는 자프 등에서 내려오려고 하지 않는다. 하긴 이런 경우
에는 비록 케지만이 내려오라고 화를 낸다고 해도 내려오지 않아도
된다고 생각한다.

케지만은 돌멩이를 주워 강을 향해서 던졌다. 오버 스로였기 때
문에 돌멩이는 튀지 않고 퐁당 빠졌다.

"그래서 말이죠, 문제는…."

어디까지나 케지만이 말하는 바로는 그렇다는 건데.

옛날부터 이로토 유역에 사는 큐차피규랴라는 종족이 있는데, 케지만은 우연한 계기로 그 일파와 친분이 생겼다.

키치피기라. 아니, 큐차피규랴인가? 발음이 너무 힘들어서 지어낸 이야기 같지만, 그들은 사냥을 하거나 물고기를 잡으며 살고 있다. 특히 물고기다. 그들은 배를 타고 덫이나 그물, 작살로 물고기나 악어, 거북이 등을 잡는다. 케지만이 하는 말이니 미심쩍긴 하지만, 대하 이로토에는 길이 2미터가 넘는 사나운 거북이와 사람을 통째로 삼켜버리는 악어가 서식해서 고기잡이라고 해도 목숨을 걸고 하는 것이라고.

그 캬츄피기냐, 아니, 그게 아니라 큐치피랴냐… 도 아니고 큐차피규랴 일파 말인데, 이 일대에 살고 있고, 케지만은 두 번 정도 그들의 배로 이로토를 건넌 적이 있다고 한다. 니프와 자프, 베스타르기스호도 그들의 배로 운반했다고 한다. 그들은 술을 좋아하지만 자기들 손으로는 간단한 양조주밖에 만들지 못한다. 증류주를 선물하면 대단히 기뻐하며 뭐든 간단한 일이라는 듯이 협력해준다고 한다.

"그 때문에, 자, 일부러 술을 준비해 온 겁니다! 어떻습니까? 네?!"

케지만은 베스타르기스호에서 술병을 꺼내어 높이 치켜들었다. 너무나 필사적이라서 오히려 수상하지만, 케지만이 거짓말을 하는지 아닌지는 지금은 상관없다.

전에는 이 근처에 살고 있었다는 큐 뭐시기는 없다. 그들의 주거지로 여겨질 만한 흔적조차도 보이지 않는다. 당연히 그들의 힘을 빌려 강을 건널 수는 없다.

2미터가 넘는 거북이와 식인 악어가 있는 강을 헤엄쳐 건널 수도 없겠지. 베스타르기스호는 그저 가라앉을 뿐일 테고.

우선, 여기에서 가만히 있어봤자 별수 없다. 이동하려고 하루히로 일행이 건설적인 토론을 하고 있자니 토라져서 돌멩이를 던지기에만 전념하던 케지만이 갑자기 기운을 되찾아 끼어들었다.

"상류 방향인지 하류 방향인지, 어느 쪽으로 갈지 정할까요! 가위바위보로 할지, 장대 눕히기 게임으로 할지, 돌멩이 던지기 승부로 할지, 저는 뭐든지 받아들이지요. 자!"

너는 입 좀 다물고 있으라고 고용주에게 쏘아붙이는 것도 예의가 아니므로 하루히로는 정중하게 부탁했다.

"죄송하지만, 잠시 입을 다물고 계시겠습니까? 더 이상 일이 꼬이는 건 싫으니까."

"내 탓인 거야?! 이렇게 된 건 내 탓이라고 말하는 거야?!"

"그렇다. 전면적으로 네놈 탓이다."

세토라는 아직 자프의 등에 걸터앉아 있고 키이치는 자프의 뿔 사이에서 편히 쉬고 있다. 마음에 든 모양이다. 자프도 싫어하는 기색은 없다. 케지만은 눈물을 글썽였다.

"이런! 굴욕은! 태어나서 처음이라고요! 좀 더 말해줘, 강한 어조로! 추궁해도 상관없어! 오히려 추궁해주세요! 부탁합니다요!"

"…도대체 뭐야? 이 숨만 쉴 뿐 살아 있는 게 수치인 추악한 쓰레기는."

"우웃?! 마음의 메모장에 적어두고 싶은 그 욕지거리! 기억 저장!"

"상류 방향으로 가자. 하류 방향으로 갔다가는 얼마 안 가 바다로 나가버릴 테니."

하루히로의 제안에 이의 제기는 나오지 않았다.

케지만은 황당한 기인이고 여행 일정도 예정대로는 풀리지 않아 스트레스가 최고점이다. 그렇기는 해도 현시점에서는 당장 위험이 닥친 것은 아니므로 다들 침착했다. 든든하기 짝이 없다.

베스타르기스호의 마부석에는 세토라와 키이치가 앉아 있고 케지만은 걸어가게 되었다. 그래도 일단 고용주인데 이래도 될까 하는 생각이 아주 약간 들기도 했지만, 케지만은 완전히 세토라에게 거역하지 못하게 되었다. 자프도 세토라를 따르는 듯해서 베스타르기스호의 주행도 훨씬 안정되었으니 괜찮을 것 같다. 하지만 세토라는 뭐든지 척척 해내네….

세토라의 상단은 이로토를 따라 상류 방향으로 나아갔다. 아니, 케지만의 상단이던가? 하지만 베스타르기스호를 끄는 자프의 옆을 의기양양하게 걸어가는 케지만은 아무리 봐도 세토라의 부하나 일꾼이나 머슴 같다. 예를 들어 세토라가 '지금부터 너는 내 하인이다. 복종해'라고 말한다면 케지만은 저 안경 낀 얼굴을 빛내며 '기꺼이!'라고 즉답할 것 같다. 그렇지는 않을까? 아무려면. 응. 그럴 리가.

이윽고 강기슭은 밀림의 양상을 띠기 시작했다. 나무들이 베스타르기스호가 가는 앞길을 가로막으려고 했지만, 괜찮다.

"이쪽! 이쪽입니다, 세토라 씨!"

베스타르기스호가 멈출 때마다 케지만이 지나갈 수 있는 경로를 발견해서 손짓을 한다. 케지만이 공을 세우면 세토라는 감정 없는 목소리로 "잘했다"라고 짧게 칭찬해주는 것을 잊지 않는다.

"네, 세토라 씨! 세토라 씨를 위해서라면 기쁘게!"

만약 케지만에게 꼬리가 있었다면 정신없이 흔들었겠지. 완전히 길이 들었다. 이것이 바로 냐아 술자의 진면목인가? 세토라, 무서운 아이. 인간까지 조련해버리다니. 아니면 그저 케지만의 취향이랄까, 성벽의 문제인 걸까? 그럴지도.

넷째 날은 약간 높은 언덕 위에서 야영을 했다. 만약을 위해 어두워지기 전에 하루히로와 키이치가 주위를 순찰했으니 위험은 없겠지.

지금까지 요리는 하루히로 일행이 담당했지만, 케지만이 하겠다며 고집을 부리기에 맡기기로 했다.

"나는 말이죠, 세토라 씨한테 내 요리를 먹이고 싶은 거라고요. 그게 아니지, 드셔주시길 바란다고요. 알겠습니까? 세토라 씨. 알아주시겠습니까?"

"아니, 전혀 모르겠다."

"차갑네, 세토라 씨! 하지만요, 그 점이 좋아요! 최고랄까요?! 최고입니다! 우히히이이이이이이!"

참고로 케지만의 요리는 의외로 정성스러운데다가 맛없지는 않았다. 아니, 맛있었다.

"어떻습니까? 세토라 씨!"

케지만이 눈을 빛내며 묻자 세토라는 퉁명스럽게 "나쁘지 않아"라고만 대꾸했다. 케지만은 데굴데굴 구르면서 기뻐했다. 엄청 기뻐했다. 본 적 없는 기쁨의 표현이었다. 솔직히 기분 나빴지만, 저렇게까지 대놓고 기쁨을 표현한다는 것은 생각하기에 따라서는 부럽지 않은 것도 아니다. 아니, 역시 부럽지 않다.

계약에 따라 밤의 보초는 케지만을 제외한 하루히로 일행 다섯 명이서 교대로 서기로 되어 있다. 케지만은 이제 와서 그 사실을 몹시 안타까워하며 계약 내용 변경을 호소했다. 세토라와 함께 보초를 서고 싶다는 속셈이 뻔히 보였다. 당연히 세토라는 인정하지 않았다. 케지만은 살아갈 희망을 잃어버린 것처럼 낙담하더니 부리나케 잠들어버렸다.

"이야, 오늘은 뭔가 좀 그러네. 피곤해요."

"응. 유난히 지쳤다."

"…그러게. 정말, 지쳤어…."

쿠자크와 세토라, 시호루가 입을 맞춘 것처럼 말해서 모두 한숨 자고 나서 보초 서기를 희망했다. 결과적으로 하루히로와 메리가 처음에 보초를 서게 되었다.

딱 봐도 눈치를 보고 있다. 가급적이면 그런 묘한 배려 방식은 하지 말아주었으면 한다. 하지만 실제로는 하루히로가 배려라고 느끼는 것뿐이고 착각인지도 모른다. 그런 거라면 상당히 창피하다. 이럴 때에는 우선 평정을 가장해서 보초를 서는 수밖에 없겠지. 메리도 별로 평소와 다름없고.

두 사람은 장작불을 사이에 두고서 마주 보고 앉아 있다. 사각 지대를 없애기 위해서다. 이렇게 하면 360도 시야를 커버할 수 있다.

단지 속마음을 말하자면, 하루히로는 메리의 정면이라는 이 위치를 좀 사양하고 싶었다. 그야 메리가 바로 앞에 있으면 시야에 안 들어올 수가 없다. 아무래도 메리를 보게 된다.

장작불 빛을 받은 메리의 얼굴은 꽤나 직시하기 힘들다.

처다보고 만다면 눈을 뗄 수 없어진다. 자기도 모르게 빠져든다.

동료의 얼굴을 오랜 시간 응시하는 것도 이상하다. 그보다 정상이 아니다. 그다지 보지 않는 게 좋다. 그렇지만 안 볼 수는 없다. 곤란하기 짝이 없소이다. 뭐야? 그게. 짝이 없다는 건가? 그야 없지. 그 뜻이 아닌가? 한참 아니다. 아무튼 곤란하다.

그렇게 곤란해하고 있을 수만도 없다. 하루히로가 난처해하면 메리는 더욱 난처할 것이다. 메리를 난처하게 만들고 싶지 않다.

두 사람은 평소와 다름없이 특별할 것 없는 이야기를 하거나 문득 화제가 끊겨서 잠자코 있거나, 또 누군가가 말하기 시작해서 안도하고, 대답을 하는 동안에 이야기가 이어지지 않게 되어 입을 다물거나 했다. 침묵의 시간이 너무 길어지면 어색하다. 그렇게 되지 않도록 노력은 하고 있다. 그렇기는 해도, 서로 입을 열지 않는 시간도 그건 그것대로 나쁘지 않다. 하지만 그것은 변명일 뿐이고 자기정당화에 불과한 게 아닐까? 역시 뭔가 말하는 게 좋다. 이참에 뭐든 좋으니까.

"병은 마음에서 온다잖아…."

무슨 맥락으로, 어째서 그런 이야기가 되었는지 돌이켜 생각해봐도 전혀 모르겠다.

"그러네…."

메리는 어딘가 먼 곳을 보는 것처럼 시선이 방황했다. 이것은 실언이었던 게 아닐까? 하지만 어떤 이유로 실언인가? 짚이는 데가 없다. 메리는 아주 약간 웃었다.

"하지만 모두의 도움을 받고 있어."

"그런가. …응. 동료니까."

메리는 말없이 고개를 끄덕였다. …동료, 니까.

동료지. 동료야. 동료. 동료. 단순한 동료일 뿐이라고는, 생각하지 않지만. 아니, 그것은 다른 동료도 마찬가지지만. 단순한 동료가 아니다. 동료 이상의 존재랄까.

내가 생각해도 아직도 이런 생각을 하는 것은 문제라는 생각이 안 드는 것도 아니다. 멤버들이 쓸데없이 신경을 써주지 않았다면 이런 일을 생각해야 하는 처지가 되지 않았겠지만. 친절함이 화근이 되어 오히려 좋지 않은 결과를 초래하기도 하는 거거든? 알고 있다. 이것은 책임 전가다. 하지만 말이야, 아무 일도 일어나지 않을 건데? 일으킬 수가 없잖아?

"좀, 주변을 돌아보고 올까?"

"혼자서?"

"…어? 아, 그렇… 지. 여기를 비울 수도 없으니까…."

말하면서, 순찰을 돌 필요가 있는지 자문했다. 그야 필요 없겠지. 그럼 어째서 그런 말을 꺼낸 건가? 메리와 단둘이 있기가… 힘드니까? 아니, 힘들지는 않은데? 어떻게 해야 좋을지 몰라 가슴이 답답하기는 해도. 고통과는 다르고. 안정이 안 된달까. 단지 그뿐이고.

"그럼 나는 여기에 있을 테니까. 다녀와."

한순간, 화났나? 하고 생각했다.

메리를 보자 미소 짓고 있었다. 기분이 상하지는 않은 것 같다. 다행이다.

하루히로는 일어섰다. 걸어가려고 했다.

발이 앞으로 나가지 않는다.

어떻게 된 일이지?

머리를 긁적였다. 한 번 허리를 낮췄다.

다시 일어섰다.

"왜 그래?"

"음…."

하루히로는 앉았다.

"역시 그만둘까…."

"그래."

"…응."

한숨이 나왔다.

문득, 뭔가 변해야 하는 건가 하고 생각했다. 그건가? 변해야 한다. 그렇다면 어떻게 변하면 되는 걸까? 무엇을 바꾸면 되는 건가?

"…지금쯤 유메, 어떻게 하고 있을까?"

"아마도 자겠지."

"그런가. …그렇지."

"걱정돼?"

"그야 걱정되긴 하지. 괜찮을 거라고 생각하지만. 유메니까."

"그래. 오히려 내 쪽이…."

메리는 말하려다가 입을 다물었다. 내 쪽이… 뭐?

마음에 걸린다. 물어보면 된다. 왜 묻지 못하는가? 하루히로는 코를 훌쩍였다. 장작불을 응시한다. 거기에 무슨 힌트가 숨어 있어서 눈을 잘 뜨고 보면 틀림없이 찾을 거라고 확신한다. 거짓말이다. 확신 같은 건 하지 않는다. 힌트 같은 것은 찾을 수 있을 리가 없고. 불꽃은 어차피 그냥 불꽃일 뿐이다.

나는 뭔가 기다리기만 하네….

하루히로는 아주아주 작은 목소리로 중얼거렸다. 별로 메리가 들어주기를 기대한 것은 아니다. 그렇게 단언할 수 있을까? 사실은 기대했는지도 몰라. 치졸한 근성이다.

"하루, 지금 무슨 말 했어?"

"아, 아니…."

얼버무리기만 하고 끝내는 건 비교적 최악 아니야?

단지, 얼버무리지 말자는, 그것뿐인데도, 몸이 떨릴 정도로 무섭다니.

"나한테는… 적극성이랄까, 그런 게, 부족하구나 하고…."

실제로 목소리가 마구 떨렸다.

"하루는, 상냥하니까."

"…정말로, 그렇게 생각해?"

나도 모르게 질문해버렸다.

메리는 고개를 숙이고 있다. 대답하기 곤란한 것을 묻고 만 것이다. 하루히로는 왼쪽 눈썹을 손가락으로 쓱쓱 문질렀다. 입안이 유난히 말랐다. 대단해. 깜짝 놀랄 정도로 메말랐다.

"나는, 있지… 상냥하다거나, 나를, 그런 식으로는, 생각할 수 없어서. …뭔가 아닌 것 같고, 상냥하지는, 않다… 고 생각해. 뭐지, 무사안일주의랄까. 원래 분명, 그런 면이, 있는 것 같은 느낌이 들고…."

"누구나 평지풍파를 일으키고 싶지는 않잖아? 지금이 좋고 변하지 않기를 바란다면 이대로 있고 싶다고."

그렇구나.

그것은 결국, 그건가? 메리는 현 상황에 만족하고 있고 이 관계를 유지하고 싶다, 그런 뜻?

그렇, 겠지.

그렇게밖에 받아들일 수가 없다. 의역하자면, 한 걸음 더 들어오지 않기를 바란다, 그런 비슷한. 분수를 알라는 듯한. 언젠가의 신체적 접촉은 우발적인 사고 같은 것이니까 심각하게 받아들이지 말았으면 좋겠어. 잊어버리자, 비슷한? 그런 뜻이지? 요컨대.

응.

그럴 줄 알았어. …아니.

잘된 건가? 오히려. 이상하게 착각하기 전에 분명해져서. 위험했어. 살았다. 엄청나게 창피를 당할 뻔했는지도 모르고. 자칫하다가는 치명적인 실수를 범했을지도 몰라. 저질렀을지도 몰라. 아니, 확실하게 저질렀을 거야.

하루히로는 일어섰다. 몸이 묘하게 가볍다. 아니, 그보다는, 다리와 허리에 힘이 안 들어가고 모든 것이 붕 뜬 것 같다.

"나, 순찰 돌고 올게."

"…응? 역시 갈 거야?"

하루히로는 애매하게 웃었다. 왜 웃고 있는 건가? 스스로도 잘 모르겠다. 힘내라, 나. 걷기 시작하자 바로 스위치가 켜졌다고나 할까, 감각이 예민해진 것 같은, 모드 체인지 상태가 되어, 나도 제법이네… 라고 생각했다. 아직 더 할 수 있어. 꽤 젊기도 하고. 앞날은 길어. 분명 길지 않을까…?

자, 쓸데없는 생각은 집어치우자. 눈앞에 해야 할 일이 있다. 그 일에 집중하자. 하지만 해야 할 일이라는 건, 순찰? 그런가? 그건 꼭 해야 할 일일까? 그렇지도 않지 않아? 그래도, 하자. 살아간다는 건 그런 것이다. 분명. 아마도. 왠지….

하루히로는 걸었다. 발소리는 내지 않는다. 몸의 어디도 소리를 내지 않는다. 숨소리조차도 인식할 수 없을 만한 차원으로 억제하고 있다. 밤의 어둠 속으로 녹아든다. 내가 어둠 그 자체가 된다. 좋은 느낌이다. 이건 제법 괜찮아. 스텔스가 잘되고 있어. 밤의 주인이라도 된 것 같은 기분이다. 밤의 주인이 누군데? 없나? 그런 녀석.

뭔가, 소리가 난다.

오늘 밤은 바람이 거의 없다. 벌레가 울고 있다. 때때로 새소리도 난다. 강물이 졸졸 흐르는 소리는 이로토에서 꽤 떨어져 있기 때문에 과연 여기까지는 들리지 않는다.

이 소리는 도대체 뭐지?

하루히로는 좀 전에 야영지 언덕을 내려왔다. 그렇기는 해도 장작불에서 200~300미터밖에 떨어지지 않았다. 이로토는 이쪽이 아니라 반대 방향이다. 왜 이 방향으로 발이 향한 건가? 반쯤 무의식이지만, 이유는 안다. 소리다. 하루히로는 이 묘한 소리에 이끌린 것이다. 뭐라 표현하기 힘든, 뭔가에 비유하는 것도 어렵다. 단지 언젠가 어딘가에서 이것과 흡사한 소리를 들은 적이 있다.

혹시나 악기인가?

어떤 악기지? 악기?

이런 장소에서?

이거, 좀 위험한지도…?

위험을 감지하는 능력은 남들만큼은 있다고 생각한다. 되돌아가야 하나? 혼자 여행을 하고 있는 거라면 주저 없이 그랬겠지만, 의도한 바는 아니었어도 상단을 호위하는 역할을 맡고 있고 하루히로는 순찰을 돌고 있는 것이다. 정말로 위험한 건가? 뭐가 어떤 식으로 어느 정도 위험한 건가? 확인하고 파악하고 대응을 결정해야 한다. 이래 봬도 리더다. 하루히로에게는 책임이 있다.

그 소리를 길잡이 삼아 어둠 속을 헤엄친다. 어떤 시기랄까, 한동안 스텔스에 잘 빠져들 수가 없는, 슬럼프 같은 상황에 빠졌었다. 실연의… 실연인가? 실연, 이랄까, 어느 쪽인가 하면 실연 비슷한, 실연에 가까운, 실연과 비슷한 경험의 충격이 좋은 느낌으로 작용해서 해소된 건지도 모른다. 그야말로 전화위복. 화와 복은 번갈아 온다고 했던가. 낙이 있으면 고생이 있고, 고생 끝에 낙이 온다. 좋은 일만 있을 수는 없지만, 나쁜 일만 있는 법도 없다. 그렇게 생각하니 용기가 난다. 응. 어떻게든 극복할 수 있을 것 같다. 당연하잖아. 극복할 수 있어. 극복할 거야.

앞쪽이 아주 약간 밝았다.

트여 있고, 달빛이 쏟아져 내리는 건가? 소리는 저 방향에서 들려온다.

여기서 더 조심스럽게 행동할 필요는 없다. 이미 충분히 주의를 기울이고 있다.

하루히로는 걸어갔다.

이것은, 아니다. 트였다기보다 움푹 들어간 건가? 바닥이 낮아졌다.

와지(웅덩이 땅) 가장자리에서 하루히로는 발을 멈췄다. 과연 좀 동요하고 있다.

텐트다.

둥근 천장의 커다란 텐트가 쳐져 있다. 본 적 없는 크기다. 출입구가 몇 개 있고 거기에는 막이 드리워 있는데, 안에서 희미한 불빛이 흘러나온다.

와지에 자그마한 샘이 있다. 샘물에 머리를 처박고 있는 생물은, 말일까? 사이즈는 말 정도다. 하지만 어쩌면 다른 생물인지도 몰라. 몇 마리나 있다. 샘에서 좀 떨어진 곳에서 풀을 뜯고 있는 생물의 모습도 보였다.

소리의 근원은 틀림없이 저 텐트다. 무슨 악기겠지. 누군가가 음악을 연주하고 있다.

위험해, 이건.

아니, 그렇지도 않은가?

어느 쪽이지?

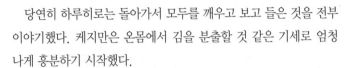

　당연히 하루히로는 돌아가서 모두를 깨우고 보고 들은 것을 전부 이야기했다. 케지만은 온몸에서 김을 분출할 것 같은 기세로 엄청나게 흥분하기 시작했다.

　"다다다다다다다다다다다다다다다다다다다다다다당신! 그게 뭔지 알고 있는 겁니까? 모르겠지요. 모르니까 그렇게 차분할 수 있는 거지! 믿을 수가 없네요. 상식이라는 것이 없는 겁니까? 아니면 단순한 바보입니까? 바보겠지요. 당신은 완전 바보 자식이야!"

　"…아무리 그래도 그런 말까지 들을 이유는 없다고 생각하는데요."

　"밤중에 갑자기 나타난 수수께끼의 거대한 텐트! 미스터리어스한 음악! 이건 말이죠, 유명한 이야기라고요! 누구나 알고 있다고요. 모르는 건 바보 아니면 간첩이지! 당신은 어느 쪽입니까?"

　"어느 쪽이냐고 물어도…."

　"그런 질문에도 대답을 못하고! 즉 바보잖아요! 뭐, 됐고요. 당신이 바보든 간첩이든 그런 건 상관없어! 사소한 문제라고요. 자, 갑시다!"

　뛰어나가려던 케지만의 목덜미를 세토라가 움켜잡았다.

　"기다려."

　"놔, 놔주세요. 숨이 막혀요. 괴로워, 죽겠어! 질식사해버려!"

　"그럼 이대로 질식하겠나?"

　"거거거거거거거거거거거거거, 거절한다! 나한테는 아직 해야 할 일이 있다고요! 그래요. 예를 들면 레슬리 캠프를 이 눈으로 볼 때까지는 나는 죽을 수 없어. 죽어도 못 죽는다고요!"

"레슬리 캠프?" 쿠자크는 고개를 갸웃거렸다. "뭡니까? 그건."

"서, 서, 서, 서, 설마! 정말로 모르는 건가요? 거짓말이죠? 어이가 없네. 있을 수 없는 일이에요. 레슬리 캠프를 모른다니, 완전히 간첩이잖아요! 어디 간첩이야? 당신은! 엉터리 간첩인가! 세균맨과 커다란 잠수함인가!"

그렇게 다그쳐봤자 시호루도, 세토라도 처음 듣는다고 하고 하루히로도 마찬가지다. 메리는 어떨까? 물어볼 수 없었다. 거동이 수상하다고 할 정도는 아니지만 메리의 상태가 좀 이상했다.

"들어본 적, 있어…?"

하루히로 대신에 시호루가 묻자 메리는 약간 주저하는 기색을 보이고 나서 "이름만은"이라고 짧게 대답했다.

"아아. 메리 씨, 이러니저러니 해도 우리보다 커리어가 기니까."

쿠자크는 태평하게 고개를 끄덕거리고 있다. 그런가.

그렇지. 메리는 수수하게, 아니, 수수건 뭐건 간에 의용병으로서는 선배인 셈이고. 레슬리 캠프. 케지만이 말하는 바로는 뭔가 메이저한 존재인 것 같고. 메리가 알고 있다고 해도 이상할 것 없다. 나머지 멤버들이 무지한 것뿐인 것이다. 분명 그렇다. 틀림없이 그거야.

"…보러 가는 건 괜찮지만, 위험은 없는 건가요?"

"위험한지 아닌지! 그런 걸 신경 쓰면 인생이 보다 결실 있는 것이 됩니까? 근사한 인생이라고 소리 높여 외칠 수 있냐고! 좀 더 중요한 게 있는 것 아닌가요!"

케지만이 보기 괴로울 정도로 거침없이 말한 내용에 따르면, 레슬리 캠프는 그림갈 각지에서 목격되고 있다고 한다. 대개 밤중이라고 했다. 해가 떠 있는 동안에는 아무것도 없었던 곳에 홀연히 그것이 나타났다는 것이 정석이라고 한다. 이름으로 알 수 있듯이 레슬리라는 인물이 연관되어 있다.

아인랜드 레슬리. 그것이 레슬리 캠프 주인의 이름이다. 인간이라고도 하고 언데드라고도 한다. 50년도 더 예전부터 그런 식으로 이름이 알려진 상인이라고 한다.

사실 그저 상인은 아니다. 아인랜드 레슬리는 아무도 본 적 없는 것을 어딘가에서 입수해서 때로는 큰 대가와 맞바꿔서 넘겨준다. 대가는 큰돈일 때도 있고 그 이외의 것일 때도 있다.

어떤 베레의 대부호는 아름다운 아내와 사랑스러운 딸을 아인랜드 레슬리에게 아낌없이 넘겨주고 이 세상에 하나밖에 없는, 폭풍을 불러일으키는 반지를 손에 넣었다. 그러나 대부호는 어떻게 하면 폭풍을 일으키는 건지 몰랐다. 그래서 아인랜드 레슬리에게 묻자 대답은 다음과 같았다.

"그렇다면 사용법을 알려주지. 단, 대가는 당신의 새 아내다."

사실을 말하자면 대부호에게는 젊은 첩이 있었고, 여자로서 전성기가 지난 아내와 한창 건방질 나이의 딸을 멀리했었다. 대부호에게 아내와 딸은 커다란 대가도, 아무것도 아니었다. 그러기는커녕 성가신 두 사람을 치워버리고 반지를 입수하고 새 아내를 맞은 것이다. 일거삼득이었던 것이다.

"너 따위에게 내 아내를 줄 수는!"

대부호는 적반하장으로 반지를 바닥에 내던졌다. 그러자 폭풍이 불고 순식간에 암운이 내려오더니 베레는 미증유의 폭풍에 휩싸였다. 집들이 쓰러지고 많은 배가 가라앉았다. 아인랜드 레슬리는 행방을 감추었고 대부호는 무너진 저택 안에서 숨을 거두었다고 한다….

그런 부류의, 아인랜드 레슬리에 얽힌 우화는 셀 수 없이 많다. 그렇기는 해도 몇백 년 전의 인물은 아니기 때문에 전설로서 회자되기에는 너무 이르겠지.

케지만 왈, 아인랜드 레슬리를 만났다고 주장하는 자는 적지 않다. 아인랜드 레슬리에게서 받았다며 희귀품, 보물, 구닥다리, 잡동사니 종류를 자랑하는 자, 타인에게 팔아넘기려는 자도 특히 베레에는 꽤 있다.

단, 아인랜드 레슬리가 분명히 베레를 방문했다는 증거나 정확한 흔적은 실제로는 존재하지 않는다. 아까 그 대부호 이야기는 망언이나 허풍, 술자리의 우스갯소리로 간주된다. 그렇다고 해서 아인랜드 레슬리 같은 건 아무 데도 없다고는 아무도 생각하지 않는다.

예를 들면, 이런 이야기가 있다.

한 소녀가 가출했다가 베레에서 10킬로미터도 떨어지지 않은 숲속에서 길을 잃었다. 소녀는 이윽고 수수께끼의 음색에 이끌려 커다란 둥근 천장의 텐트와 그 주위에 모여 있는 말 같은 생물을 목격했다. 무서워져서 발길을 돌려 아침까지 숲 속을 헤매 다니다가 간신히 집에 돌아올 수가 있었다.

소녀는 자기가 본 것을 본 그대로 주위에 이야기했다. 그것은 레슬리 캠프 아닐까? …라고 누군가가 말했고, 소문에 꼬리가 붙어 베레 전체에 큰 소동이 났다. 열흘 이상에 걸쳐 수백 명, 아니, 전부 합치면 수천 명, 어쩌면 수만 명이 숲 속으로 들어가 레슬리 캠프를 계속 찾았다고 한다.

결국 레슬리 캠프는 찾을 수 없었지만, 이것은 5년 전쯤의 사건이므로 베레의 주민이라면 대개는 기억하고 있을 것이라고 한다.

그림갈 안을 돌아다니는 나그네, 호기심 왕성한 모험가, 의용병 출신, 이익이 된다면 땅 끝까지라도 가는 욕심 많고 야심에 불타는 상인이라도 레슬리 캠프와는 마주칠 수 없다. 찾겠다고 해서 찾을 수 있는 것이라면 진작에 누군가가 발견했을 것이다. 속된 말로 '레슬리 마니아'라 불리는 무리가 있어 동료들끼리 정보를 교환하면서 레슬리 캠프를 찾고자 혈안이 되어 있는 모양인데, 찾으면 찾아다 닐수록 레슬리 캠프는 멀어진다고도 한다.

어쨌든 레슬리 캠프에는 당연히 아인랜드 레슬리가 있다. 그는 그림갈 유수의 수집가다. 폭풍을 일으키는 반지는 갖고 있지 않을 지도 모르지만, 한 개로 나라 하나를 살 수 있는 레드 다이아몬드나 순금제의 아라바키아 건국왕 에드나 조지의 흉상, 잃어버린 나난카 왕가의 왕관, 멸망한 이슈마르 왕국의 티티하 공주가 죽는 순간까 지 목에 걸었다는 니겔룽의 목걸이, 돈스펙터(최초의 왕홀), 보검 우르규스 등 유서 깊은 보물이라면 어쩌면 한두 개는 갖고 있을지 도 모른다.

만약 그런 보물을 사겠다고 하면 아인랜드 레슬리는 바가지를 씩 우려 들 것이다. 그러나 비록 손에 넣을 수는 없어도 한번 보는 것 만으로도 저승길의 선물이 된다.

진실로 받아들이는 자는 거의 없겠지만, 아인랜드 레슬리는 만난 자의 소원을 뭐든지 이루어준다는 동화 같은 전설도 있다.

또한 일설에 의하면 아인랜드 레슬리는 인간도 언데드도 아니고

요정, 혹은 신령한 존재로서 신비한 힘으로 사람에게 엄청난 부를 가져다준다고. 정말로 아인랜드 레슬리의 얼굴을 아는 자가 나서지 않는 것은 실은 그 때문인 것이다.

아인랜드 레슬리 덕분에 큰 부자가 된 자는 그 비밀을 무덤까지 갖고 간다. 돈과 마찬가지로 나눠버리면 행운도 줄어들어버린다. 그러니까 자기 목숨이 다할 때까지 아인랜드 레슬리에 관해서는 가슴속에 묻어두는 게 좋다. 그것이 혜택받은 인생을 최고의 상태로 끝내는 비결이다.

과연 레슬리 캠프는 실제로 존재하는가?

케지만의 말만을 재료로 삼아 판단한다면 조심스럽게 말해도 좀 수상하다. 아니, 상당히.

단, 하루히로는 자기 눈으로 보고 말았다.

…그렇기 때문에.

솔직히 그다지 내키지는 않았지만 동료들과 케지만을 데리고 왔다.

와버리고 말았다.

기억하는 길을 거쳐서 가보니 아무것도 없었습니다… 라는 실망스러운 전개를 하루히로로서는 기대하고 있었다. 별로 실망하고 싶은 것은 아니지만, 레슬리 캠프가 있으면 있는 대로 또 성가신 일이 생길 것 같은 예감밖에 들지 않는다. 그것은 피하고 싶었는데, 뜻대로 되지 않았다. 어쩌면 대발견인지도 모르지만 조금도 기쁘지 않다.

"이, 이, 이, 이, 이, 이, 이이이이, 이것은…!"

케지만은 와지 가장자리에 서서 자기 앞머리를 마구 잡아당겼다.

그러는 통에 안경이 흘러내린 정도가 아니라 벗겨져 떨어졌지만 계속 머리를 잡아 뜯고 있다.

"우오오! 아, 안경! 안경, 안경, 안경은 어디 있어! 마이 안경…!"

"…여기요."

시호루가 안경을 주워 건네주니 케지만은 그것을 장착하자마자 와지의 낮은 쪽을 향해서 달려갔다.

"아아아아아아아아아아! 아이…! 엠…! 레슬리 캠프…!"

"…당신이 레슬리 캠프라는 거야? 그보다…."

쿠자크는 쫓아가지 않아도 되냐는 분위기를 자아내며 하루히로 일행을 보았다. 글쎄? 별로 쫓아가지 않아도 되지 않을까? 그런 식으로 생각하는 것은 하루히로만은 아닌 듯, 시호루도, 메리도, 세토라도, 그리고 회색 냐아 키이치도 와지 가장자리에서 움직이지 않는다. 어디까지나 하루히로 일행은 고용된 호위일 뿐이고. 케지만의 아빠도, 엄마도 아니다. 도저히 거기까지는 돌봐줄 수 없다.

"저 사내에게 이용 가치가 없다면 내버려두겠지만."

세토라가 중얼거렸다. 정말 그렇다. 그 말이 맞다. 고용 관계 운운은 접어두고라도, 오르타나까지 우리를 안내해줘야 한다.

"어… 이…."

너무 큰 소리를 내는 것도 좀 아닌 것 같아서 하루히로는 어중간한 성량으로 외쳐보았다. 케지만은 듣지 못한 건지, 애초에 들을 마음이 없는 건지 멈추지 않는다. 돌아보지도 않는다. 정말로 뭐냐고? 저 사람. 벌써 와지 아래에 도달하려고 한다.

이건 어쩔 수 없네. 작정하고 달려도 따라잡을 수 있을 것 같지 않고. 하루히로는 결심을 했다. 이대로 대기하며 사태의 추이를 지켜본다. 뭔가 위험해 보이면 케지만을 두고 도망가는 수밖에 없다. 안녕, 케지만. 다시 만날 날까지.

"아아…."

쿠자크가 목소리를 냈다가 자기 입을 손으로 막았다. 일단 살금살금 발소리를 죽인 것 같은 발걸음으로 조심스럽긴 했지만, 텐트 출입구로 다가가고 있는 케지만을 걱정하고 있는 것이겠지. 호인이네. 장점이라고는 생각하지만. 인간으로서는 호감이 간다. 하지만 그런 점이 오히려 걱정스럽기도 하다고. 쓸데없는 참견인지는 모르지만.

케지만은 이미 텐트 출입구까지 10미터쯤 가면 되는 위치에 있다.

"…이 소리는." 시호루가 중얼거렸다. "…아코디언?"

"그거다."

자바라 형태의 바람통을 늘이고 줄이며 건반을 눌러 연주하는 악기가 떠올랐다. 그러자마자 금방 내가 무엇을 생각했었는지 알 수 없게 되었고, 그 뒤에는 아코디언이라는 말만이 텅 빈 상자처럼 남아 있다. 또 이건가? 슬슬 열받는다.

열받아 있을 때가 아닌가.

케지만이 드디어 텐트 출입구에 도달했다. 과연 거기서부터는 신중하게 가는 건가 했는데 케지만은 갑자기 출입구 막을 획 젖혔다.

진짜 도망쳐버릴까?

몇 초 동안 심각하게 고민했다.

"…아인랜드."

누군가가 작은 목소리로 말했다. 누군가, 랄까.

반사적으로 하루히로는 옆에 있는 메리에게 시선을 향했다. 메리는 어리둥절한 것처럼 눈을 크게 뜨고 있었다.

하루히로는 주저하지 않고 최대한 태연을 가장하며 눈을 피했다. 안 본 걸로 칠 수 있는지 아닌지는 모르겠지만, 해봤다.

케지만은 텐트 출입구에 얼굴을 처박고 있다. 아무렇지 않은가?

이윽고 손짓을 하기 시작했다.

아무래도 이리 오라고 말하는 것 같다.

쿠자크가 모두를 둘러보았다.

"…갈 거야?"

조심스럽게 텐트 안을 들여다보니 거기에는 케지만밖에 없었다. 그렇다. 케지만은 하루히로 일행의 도착을 채 기다릴 수 없었던 듯 먼저 혼자서 안으로 들어가 버린 것이다.

넓지는 않다. 사방 3미터 정도겠지. 벽은 없고 광택 있는 진한 보라색 막으로 구분되어 있다. 바닥에 깔린 것은 빨간 양탄자다. 상당히 털이 길다. 구석에 작은 사이드 테이블이 놓여 있고 그 위에 제법 훌륭한 램프가 놓여 있다. 천막의 크기를 생각하면, 저 막을 들치면 또 방인지 뭔지가 있을 것이다.

예의 소리를 내는 악기로 보이는 것은 여기에는 없다.

하루히로는 동료들을 밖에서 기다리게 하고 텐트 안으로 발을 들였다. 쿠자크가 밖에서 출입구 막을 잡아 열어놓은 채로 고정했다.

"그야말로. …그야말로네요."

케지만은 훗훗훗훗 웃기 시작했다.

"…아니, 저기. 조용히 좀 할래요?"

"뭣 때문에?"

"설명할 필요가 있나요…?"

"상대는 그 아인랜드 레슬리입니다만! 우리를 어떻게 할 셈이라면 진작에 어떻게든 요리했을 터, 터, 터라고요!"

"케지만 씨도 모르는 거잖아요, 어떤 사람인지. 인간인지 아닌지도…."

"그러… 나! 아인랜드 레슬리에 관한 소문, 풍설, 풍문 등등을 숙지하고 있다는 점에 관해서는 누구에게도 지지 않을 자신이 있다고요. 나는! 누구한테도 지지 않는다고 말하면 과한 표현일지도 모르지만, 뭐 그럭저럭 아는 편이라고요, 그럭저럭요!"

"순조롭게 알고 있는 레벨이 내려가지 않았나⋯?"

"이 방!"

케지만이 안짱다리로 서서 두 손의 검지로 비스듬히 위를 가리켰다.

"⋯그 포즈에 무슨 의미가 있습니까?"

딴지를 걸고 마는 나 자신이 애잔하다.

"이 방은!"

게다가 무시당했다.

낙담.

"바이올렛 루우우우움! 내가 들은 바에 따르면, 레슬리 캠프 안은 바이올렛! 즉! 즉즉! 진한 보라색 커튼으로 나뉜 라비린스! 라비린스는 정말로 있었구나⋯!"

"이제 피곤해⋯."

"좋아, 좋았어. 좀 진정하고."

케지만은 자기 가슴을 퉁, 퉁 두드리고 나서 홋, 홋 숨을 쉬더니 에헴 하고 한 번 헛기침을 했다. 위험하네, 이거.

하루히로는 이런 타입의 남자에게는 익숙하다고 생각했다. 따라서 조종법 같은 것을 다소나마 터득했다. 그런 줄 알았는데, 페이스가 흔들리기만 한다. 위에는 더 위가 있다는 건가? 이렇게까지 만만치 않은 상대일 줄이야.

"자, 들어오게나, 제군."

케지만이 손을 흔들어 부르자 쿠자크가 바이올렛 룸에 들어왔다.

하루히로는 이마를 짚었다.

"왜 들어오는 거야? 너…."

"앗, 미안. 나도 모르게…."

"어차피 들어올 수밖에 없습니다요."

케지만은 안경테 부분을 중지로 누르고 크큭 하고 목을 울리며 낮게 웃었다.

"어째서지?"

세토라가 텐트 밖에서 출입구 막을 걷으며 묻자 케지만은 숨겨둔 특급 비밀이라도 밝히는 양 "실… 은……"이라고 목소리를 낮추며 말했다.

"레슬리 캠프에는 '들어간 출입구로는 다시 나올 수 없다'는 전설이 있어서요."

"시답잖은."

세토라가 천천히 막을 들치고 당당히 바이올렛 룸에 입성했다. 출입구의 막은 닫혔다.

그 뒤 세토라는 곧바로 방향을 틀어 나가려고 했던 것이라고 생각한다.

"무슨…?"

세토라는 출입구로 향하려고 했다. 그것은 틀림없다. 손을 뻗으면 출입구 막에 닿는다. 그대로 약간 걸어가 막을 젖히고 밖으로 나갈 수도 있을 것이다.

"…묘하군."

"왜 그래요?"

쿠자크가 묻자 세토라는 납득이 가지 않는다는 듯이 고개를 흔들었다.

"모르겠어."

"오호… 오! 이것 참!"

케지만은 출입구를 향해 돌진하려고 했으나 도중에 묘한 자세로 온몸을 부들부들 떨기 시작했다.

"우, 우, 우, 웃…! 이, 이, 이, 이, 이, 이것으으으으으은…?!"

"어? 나갈 수 없다는 건가? 에이, 무슨."

쿠자크는 웃으면서 출입구 쪽으로 방향을 틀었다. 한 걸음, 두 걸음 순조롭게 걸음을 옮겼으나, 출입구를 코앞에 두고 딱 멈춰버렸다.

"…뭐야? 이거. 이상한 느낌이라고밖에는….."

케지만은 그렇다 쳐도 세토라나 쿠자크가 장난을 치는 것이라고는 생각할 수 없다. 하루히로가 시험해볼 필요도 없이, 뭔가 이상한 사태가 발생하고 있다고 생각해야 할 것이다.

밖에는 아직 시호루와 메리, 키이치가 있다.

둘 중 하나다. 그들을 일단 피난시키고 이쪽은 이쪽대로 어떻게든 해결하든가, 아니면… 아니야. 하루히로는 머리를 흔들었다. 뿔뿔이 흩어지는 것은 안 된다.

"시호루! 메리와 키이치도… 들어와."

두 사람과 한 마리가 입구 막을 지나 텐트 안으로 들어왔다.

메리는 생각에 잠겼다고나 할까, 약간 심각한 표정이었고 안색이 안 좋은 것처럼 보이기도 했다. 키이치는 뭔가를 느낀 건지 펄쩍 뛰어 세토라에게 안겼다. 시호루도 불안해 보인다.

"…무슨, 일이야?"

"아니, 그게 말이야…."

쿠자크가 설명하려고 했는데 누군가의 목소리가 가로막았다.

"네…, 안녕하십니까…? 레슬리 캠프에 오신 것을 환영합니다!"

"니핫?!"

케지만이 의문의 목소리를 내며 오른쪽을, 왼쪽을, 그리고 앞을 보았다.

"…지금… 레슬리 캠프라고…."

시호루가 말한 대로다. 분명히, 또렷하게 들렸다. 진짜, 진짜로 레슬리 캠프인 건가? 이게 무슨 일이람. 그건 그렇다 치고, 방금 그 목소리.

여성의 목소리였다.

기분 탓인지도 모르지만, 들어본 적이 있는 것 같기도, 없는 것 같기도…?

"인간 씨로군요? 그렇다는 건, 이 언어가 통하겠네요? 괜찮…."

"거기!"

케지만이 왼쪽 막을 움켜잡고 힘껏 잡아당겼다. 막이 뜯기자 거기에는 여기와 비슷한 막으로 둘러싸인 방이 있었고 사람의 형체 같은 것은 보이지 않았다.

"…쿠웃?! 목소리는 이쪽에서 들렸는데, 어째서야?!"

"어머머머머…. 기운 넘치는 손님이네요. 너무 기운이 넘쳐서 곤란해지고 마네요. 너무 나대면 오래 살지 못한답니다…?"

"어, 어디 있어?! 나와! 아니, 나와주세요. 미소녀 목소리의 주인공!"

"꺄피…. 어떻게 미소녀라는 걸 알았을까나? 목소리만으로 알아버렸나요? 어떻게 해도 감출 수 없는 미소녀 스멜이 풍기는 걸까냐? 하지만, 안… 돼….”

“왜 꺄피?!”

“나그네들이여.”

미소녀를 자처하는 누군가의 말투가 갑자기 근엄하게 변했다.

“찾아 헤매고 돌아다녀라. 그리하면 길은 어딘가에 다다를 것이다. 우리 주인 아인랜드 레슬리가 수집한 렐릭(유물)의 이전한 보물 창고에. …다시 한 번 환영한다, 나그네들이여.”

목소리가 사라졌다.

하루히로는 쿠자크와 재빨리 눈빛을 교환했다. 하루히로는 앞. 쿠자크는 오른쪽이다. 동시에 천막을 걷었다.

그 앞은 여기와 구별이 안 되는 방이었다. 오른쪽은 달랐다.

나무문이 있다. 얼핏 보아 기이하다고 생각할 수밖에 없었다. 문은 보통 벽에 만들거나 끼워 넣는 것이다. 그런데 그 문은 막을 등지고 서 있다. 저래서는 문을 열면 그 너머에는 막이 있다는 뜻이겠지.

“…오오오오옷!”

갑자기 케지만이 문 바로 앞까지 날아가더니 손잡이에 손을 대려고 했다. 하루히로의 반응이 조금이라도 늦었다면 케지만은 문을 열었을 것이다. 스파이더(거미 죽이기). 아니, 과연 죽이지는 않지만. 하루히로는 아슬아슬한 타이밍으로 케지만의 뒤에서 겨드랑이에 손을 넣고 몸을 결박했다.

“자, 잠깐 기다려…!”

“에잇, 놔라! 나는 고용주라고요! 당신, 고용주한테 무슨 짓을 하는 거야?"

"뭐가 어떻게 될지 모르니까!"

"마왕이 나타날지! 사악한 신이 나올지! 해보지 않으면 모르는 거라고요!"

"뭐랄까, 어느 쪽도 나오지 않았으면 하는데요…."

"놔! 놔, 놔, 놔! 싫어 싫어 싫어 싫어 싫어싫어싫어싫어어어…!"

"떼쓰는 애냐…."

하루히로는 발버둥을 치며 못 볼 꼴을 보이는 케지만을 쿠자크에게 넘겼다. 이걸로 우선은 안심인데, 자, 어떻게 할까?

"저 출입구로는 밖으로 나갈 수 없어. 다른 출입구를 찾아야 해…."

"나갈 수 있다는 보장은 없지만."

세토라는 손가락으로 끊임없이 키이치의 목을 어루만지고 있다. 마음을 진정시키려고 하는 건지도 모른다.

"…렐릭의 보물 창고라고, 그 여자 목소리가 말했지. 위혼을 생성해서 인조인간 제조를 가능케 했던 것도 렐릭이다. 전부 다 그런 것은 아니겠지만, 적어도 일부의 렐릭은 천지의 이치에서 벗어난 힘을 숨기고 있다고 한다. 가격을 매길 수 없을 정도로 귀중한 물건이다."

"여기에에! 그것이이이! 있다고요! 잔뜩! 그 아무 특징도 없는 문처럼 보이는 문도 분명 렐릭이 틀림없음…!"

케지만은 쿠자크에게 단단히 구속되어 있다. 그렇기는 해도 입을 틀어 막힌 것은 아니니 당연히 외칠 수 있다. 세토라는 케지만을 옆눈으로 노려보았다.

"시끄러운 사내다. 입을 열지 못하게 하는 게 좋지 않을까?"

"주, 주, 죽인다는 건가아?! 그런 거라면 잠시 동안 입을 다물겠습니다…."

"됐다고 할 때까지 입을 다물고 있어. 시끄러워서 못 견디겠다."

케지만은 말없이 끄덕끄덕 고개를 끄덕였다.

"…저것이, 렐릭…."

시호루는 지팡이를 껴안은 것 같은 자세로 문에 다가가지 않고 무서운 듯이 보고 있다. 메리는 조용했다. 고개를 숙이고서 미간에 주름을 잡고 있다. 괜찮은가? 메리뿐만 아니라 모두 괜찮지 않기는 한데.

"열어보기만 하는 방법도…?"

쿠자크의 제안은 고려할 만하다. 열어보고 뭔가 이상하다 싶으면 곧바로 닫아버리면 된다.

"…글쎄. 하지만, 음…, 글쎄…."

그야말로 케지만이 말한 것처럼 뭐가 나올지 예측도 할 수 없으므로 솔직히 무섭다. 그러나, 애써 하루히로는 무섭다는 단어를 도로 삼키고 앞으로도 가급적 쓰지 않기로 결심했다. 공포심은 있는 게 좋다. 조심스러워진다. 단, 무턱대고 무서워 무서워… 라고 외치는 것은 백해무익이다. 근거는 없어도, 그래도 어떻게든 될 것이라는 최소한의 안도감을 동료들이 가지길 바란다.

"우선 다른 데도 살펴보지 않을래? 물론, 가능한 한 조심하면서 말이지만."

하루히로는 일부러 평정을 가장하며 제안했다.

아무도 이의를 제기하지 않았다.

막을 들치기 직전은 매번 몸도 마음도 긴장한다. 그걸로 좋아. 괜찮아, 위험은 없다고 안심할 때일수록 꼭 변변치 않은 일이 일어난다거나 했다.

"…상자인가?"

이 방에는 사이드 테이블과 램프 외에 한 아름 크기의 상자가 놓여 있다. 재질은 나무는 아닌 것 같다. 아마도 금속이겠지. 케지만이 함부로 만지려고 하다가 세토라가 "어이!"라고 일갈하자, "우힉! 잘못했어요!"라고 사과하는 부분까지가 정해진 행사처럼 되어가고 있다.

최초의 문과 이 상자가 렐릭인지 아닌지는 모르지만, 그럴 가능성이 있는 이상 함부로 만져서는 안 된다.

어째서인지 텐트에서 나갈 수는 없다… 는 괴현상에 맞닥뜨렸으니 이 정도는 경계해도 마땅하다.

괴현상의 원인은 어쩌면 이 음색이 아닐까 하고 하루히로는 의심하고 있는데, 그것도 렐릭의 작용인지도 모른다. 이 추측이 맞든 틀리든 레슬리 캠프 안에서는 무슨 일이 일어나도 신기할 게 없다고 생각해야 할 것이고, 지금은 다른 출입구를 발견하는 일에 전념하는 게 좋다.

지금까지 하루히로 일행은 열두 개의 방을 조사했다. 현재로서는 전부 진한 보라색 막으로 나뉜 사방 3미터 정도의 공간이다. 사이드 테이블과 램프는 반드시 있다. 그 외의 물건은 없었다. 사이드 테이블과 램프만 있는 방을 임시로 빈방이라고 부르기로 하고, 이것이 일곱 개. 나머지 다섯 개의 방의 내역은 다음과 같다.

나무문이 있는 문방.

나체의, 분명 인간인 듯한 여성 동상이 있는 동상방.

의자에 열쇠 꾸러미가 놓여 있는 열쇠 꾸러미방.

그리고, 상자가 있는 방은 이 방이 두 번째다.

첫 번째 방의 상자와 이 방의 상자는 크기며 재질도 비슷하지만 색은 다르다. 첫 번째 방의 상자는 거무스름한 금색이고 이 방의 상자는 청동 같은 색이다.

시호루가 조심스럽게 손을 들었다.

"…나, 마음에 걸리는 일이."

그렇게 말을 꺼내더니 시호루는 각 방의 배치를 간단히 메모한 것을 모두에게 보였다.

"최초의 출입구… 여기는 텐트의 가장 바깥쪽에 해당하는 것이고 …."

하루히로 일행은 출입구가 있는 방과 그 좌우의 방을 기점으로 해서 안쪽을 향해서 네 개씩 순서대로 수색을 마친 참이었다.

"…이상한 말을 하는 것 같지만, 제일 바깥쪽의 바깥은, 어떻게 되어 있는 걸까 하고…."

쿠자크는 고개를 갸웃거렸다.

"제일 바깥쪽의 바깥이란 건, 없지 않을까요? 그보다, 밖이잖아 ?"

세토라가 팔짱을 끼고 중얼거리는 것처럼 "…그래야 맞지"라고 말했다. 키이치는 예의 바르게 앉아 세토라를 올려다보고 있다. 메리가 "그러네"라고 동의했다.

"…원래는."

그렇다. 그렇게 되어 있지 않으면 이상하다.

하루히로 일행은 우선 출입구가 있는 방의 오른쪽, 문방까지 돌아가보기로 했다.

"원래는… 이 막 너머는 바깥이어야… 맞지."

문방도 사방이 천막이다. 출입구 방에서 들어오면 정면에 해당하는 한쪽 방향의 막 앞에는 예의 문이 있다.

하루히로는 문을 향해서 오른쪽에 있는 막 앞으로 갔다.

텐트 자체는 흰색이었다. 이 진보라색 막을 걷으면, 외막이라고 불러야 할까? 하얀 막이 있어 안과 밖을 나누는 것이겠지. 분명히 의식한 것은 아니지만, 그렇게 생각했었으니까 이 앞으로 나가려고 는 하지 않았다.

갈 수 있을 리가 없다.

"기다려, 하루히로. 여기는 내가."

쿠자크가 막에 손을 대려고 했더니 케지만이 "즈모… 잇!"이라고 기괴한 비명을 지르며 돌진했다.

힘차게 막을 젖혔다.

케지만은 신음했다.

"우우우우우우우우우우… 끙… 호와아아아아아아아아이이…?!"

아주 약간, 아니, 반쯤은 그런 일도 있을 수 있을 것 같기 때문에 하루히로는 그리 놀라지는 않았다. 아니, 거짓말이다. 놀라기는 했으나 그보다 이 사태를 어떻게 받아들여야 좋을지 혼란스러운 마음이 더 컸다.

그야, 있었으니까.

텐트의 구조상 외막에 부딪치거나, 밖으로 나가거나 둘 중 하나여야 하는데, 케지만이 들친 막을 포함해서 사방이 막으로 둘러싸여 있고, 사이드 테이블이 있고, 램프가 놓여 있다. 방이다.

방이 있다. 빈방이다.

"…응. 요컨대…."

하루히로는 생각하는 척을 해버렸다. 뭐랄까, 생각하려고 하는데, 생각해봤자 소용없지 않을까? …라는 생각만 들었다. 어떻게된 거야? 이거?

"흐흥. 모르는 겁니까?"

과연 케지만도 그쪽 빈방에 발을 들여놓을 마음은 들지 않는지 막을 들춘 자세 그대로 돌아보았다.

"나는 말이죠, 전혀 모르겠다고요. 어떻게 된 겁니까? 이건! 무섭! 무무섭! 도, 도, 도, 도, 돌아갈 수 없는 거겠지요, 젠장…."

"원인을 따지자면 당신 탓인데요…."

"호위니까 어떻게 좀 해봐, 이 새끼!"

"누가 새끼야? 말조심해, 하인."

세토라가 으름장을 놓자 케지만은 눈물을 줄줄 흘리기 시작했다. 콧물도 꽤 나왔다.

"죄홍해룡, 여왕님. 여신님. 하지만 난, 일이 이렇게 될 거라고는 눈곱만큼도 생각하지 못해서…."

케지만 때문에 이런 꼴을 당하는 이쪽 입장도 좀 생각해줬으면 하지만, 이 남자를 질책한다고 해서 상황이 좋아질 일은 만에 하나도 없을 것 같다. 질책하고 싶지만. 힘껏 추궁하고 싶다.

다소의 자제심이 요구되는 상황이다. 하지만 인내의 비결은 알고 있다. 그 바보 때문에 고뇌하던 나날보다는 낫다. 그렇게 생각하면 어떻게든 참을 수 있다. 아니, 하지만, 글쎄? 나은… 건가?

알쏭달쏭한 부분이다. 케지만은 상당히 심하다.

"하나의, 이계… 인지도 몰라."

메리는 그렇게 말하고 나서 "어디까지나, 가능성이지만"이라고 변명이라도 하는 것처럼 작은 목소리로 덧붙였다.

"이, 이계구나!"

초조해할 필요는 없는지도 모르지만, 어째서인지 초조해진다. 하루히로는 "으응, 그렇구나, 이계라. 과연, 이계인가, 이계…"라고 중얼거리면서 필사적으로 머리를 굴려보려고 했다. 그것은 결국 무슨 말인가? 하나의 이계? 뭐가?

"…어? 여기가? 다스크렐름이나 다룽갈 같은…?"

"이계…."

케지만은 안경테를 오른손 중지로 밀어 올렸다.

"이게 이계인가…?"

"꺼져."

세토라는 검지로 힘껏 지면을 가리켰다.

"당장 꺼져. 땅 밑으로 지금 당장. 두 번 다시 돌아오지 마."

"잘못했습니닷! 그럴듯한 조크가 떠올라서 그만! 내가 말하고 싶었던 건 그게 아니라요, 혹시 이계에 가본 적이 있느냐 하는! 그런 뉘앙스였다고요!"

"나는 없지만 하루히로 팀은 있다."

"와우! 끄으으으으으으으으을내준다아아아아아아앗!"

케지만은 눈알이 튀어나오더니 펄쩍 뛰었다. 뭐야? 이 녀석. 진짜 징그러워.

"이계! 그곳은 선망의 땅! 죽기 전에 한 번은 가보고 싶었다고요! 오?! 그렇다는 건, 여기가 혹시 정말로 이계라면?! 오히려 나는 기뻐해야 한다는?! 혹시나 염원이 이루어진 거 아닌가?!"

"…잘됐네요."

쿠자크가 어이없다는 얼굴로 말했다.

뭐, 그리 잘된 건 아니지만…?

"렐릭, 이라…."

자세한 건 모르지만 하루히로도 한 가지는 갖고 있다. 소우마한 테서 받았다. 리시버(수신석)다. 아무래도 망가진 듯… 그렇지, 그러고 보니 그 사실을 아직 동료에게 털어놓지 않았다. 좋지 않아. 말해야지. 하지만 지금은 아닌가? 그럴 때가 아니고. 아무튼 소우마의 동료인 시마가 분명히 이런 말을 했었다. 렐릭이란 현대의 기술로는 만들어낼 수 없는, 과거에 만들어진 것이 분명한 물건의 총칭이라고. 요컨대 사람의 지식이 미치지 않는 어떠한 힘을 담은, 내력이며 시스템도 불명인 물품을 그렇게 부르는 것이겠지.

하루히로는 그 음색으로 그들이 최면술 같은 것에 걸려서 그 탓에 여기에서 나가지 못하는 것인지도 모른다고 생각하고 있다. 그런 힘을 지닌 악기 같은 렐릭이 텐트 안 어딘가에 있는 게 아닐까? 하지만 렐릭이 텐트 안을 변용시키고 있을 가능성도 있다. 메리가 말한 것처럼 이계화시키는. 혹은 텐트 출입구가 실은 이계로 가는 입구이며 일방통행이다… 이런 가능성도 있을 법하다. 전부 다 억측에 불과하지만.

자포자기할 것 같다. 이제 대충 해도 되지 않을까? 계속 막을 들추고 앞으로, 앞으로, 앞으로 나간다. 아무려면 언젠가는 막다른 곳이 되겠지.

하루히로는 가볍게 헛기침을 했다. 숨을 내쉬고 어깨 힘을 뺐다. 흔한 사태는 아니지만, 지금 현재 누군가의 목숨이 위험에 노출된 건가? 답은 노다. 절체절명은 아니다.

최우선 순위는 죽느냐 사느냐 하는 궁지를 피하는 것. 그걸 우선시해서 어떻게든 이 레슬리 캠프에서 탈출한다. 무턱대고 생각 없이 움직이게 되는 것이 무섭다. 계속성이 중요하다. 포기하지 말고 동일한 작업을 꾸준히 계속해서 한다. 그거라면 딱히 뛰어난 점이 없는 하루히로라도 못할 것은 없다.

"우리가 할 일은 변함없어. 하나씩 조사하자."

…못할 것은, 없다.

그렇게 믿었던 시기가 하루히로에게도 있었다. 믿었다기보다는 믿으려고 했던 건지도 모른다.

크기, 형태, 색, 재질이 각각 다른 상자, 스물세 개.

받침대에 놓인 책, 일곱 권.

여러 가지 동상, 다섯 개.

서랍이 달린 선반 같은 것, 세 대.

문은 한 개.

의자에 놓인 열쇠 꾸러미가 하나. 마찬가지로 의자 위에 촛대 같은 것이 하나.

그 밖에 뭔지 분류하기 힘든 물건이 여덟 개.

사이드 테이블과 램프만 있는 빈방은 215개.

이상이 합계 264개의 방을 조사한 결과다.

하루히로 일행은 나갈 수 없는 출입구가 있는 방을 기점으로 해서 레슬리 캠프 탐색을 진행했다. 지금도 출입구 방에 있다. 모두 주저앉아 있다. 케지만의 경우에는 양탄자에 엉덩이를 내리고 앉았나 싶더니 벌렁 드러누워 곧바로 코를 골기 시작했다.

"…어느 정도, 시간이, 흐른 걸까요…?"

쿠자크는 양반다리를 하고서 등을 웅크린 채 고개를 숙이고 있다. 목소리에 힘이 없다.

"왠지… 시간 감각이 애매해져서…."

시호루는 메리와 등을 맞대고 앉아 서로를 지탱해주고 있다.

세토라는 비교적 기운이 있어 보였다. 수첩을 펼치고 레슬리 캠프에 관한 메모를 열심히 확인하고 있다. 키이치는 세토라 옆에서 몸을 웅크린 채 보기에도 졸린 것 같았다.

"한이 없네. 슬슬 렐릭을 조사해볼까? 예의 문을 열어볼까…?"

실은 하루히로도 줄곧 머리 한구석에서 그 안을 검토하고 있다. 그야 출입할 수 있을 만한 것이라고는 저 문밖에 찾지 못했다. 열어보고 싶어지는 것이 사람 심리다. 심리랄까, 이렇게 되면 이미 억누르기 힘든 강렬한 충동이다. 그 욕구를 무시하기란 제법 힘들다.

상자를 하나하나 열어보고 싶다는 마음과도 하루히로는 싸우고 있다. 열쇠 꾸러미의 존재도 마음에 걸려서, 상자를 여는 열쇠 아닐까 생각해보기도 했다. 하지만 보기에는 어떤 상자에도 열쇠 구멍은 없다. 애초에 상자는 열리기는 하는 걸까? 아직 시도해보지 않았다. 우선 하나씩, 열리는지 안 열리는지 확인해보는 정도는 해도 되지 않을까? 안 되나?

안 되나.

아니, 안 되는 건가?

잘 모르겠다. 판단력이 떨어졌다. 그런 자각이 있기 때문에 다른 방법으로 이행할 수가 없다. 지금 생각하는 것은 분명 대개 잘못된 것이라는 생각이 들었고 열쇠 꾸러미가 아무래도 마음에 걸린다. 문. 열면 도대체 뭐가? 상자. 렐릭….

"물은 아직 있어. …음식은, 거의 없어."

메리가 짐을 뒤진다. 모두 커다란 등짐 꾸러미 등은 야영 장소에 두고 왔다.

하루히로도 최소한의 도구류밖에 갖고 있지 않다. 지금은 그것이

후회된다. 이렇게 될 거라고는 생각지도 못했고. 경솔했다.

"…1,000골드."

쿠자크가 중얼거리듯 말했다.

"엇…."

하루히로가 쿠자크 쪽을 봤다. 한순간 시선이 마주쳤다. 쿠자크는 눈을 피했다.

"…아니야. 아무것도 아니야. 잊어줘."

"잊어달라니…."

하루히로는 몇 초 동안 멍하니 있었다.

백금화는 한 개에 30그램이나 나간다. 그것이 100개. 3킬로다. 들지 못할 무게는 전혀 아니지만 백금화 100개가 든 가방에는 중량 이상의 무게가 있다. 가방 자체도 튼튼하게 만들어져서 비교적 거추장스럽고, 역시 가볍지는 않다.

이 여행 중 쿠자크는 그 훌륭한 가방을 어깨에 메고 다녔고 잘 때에도 몸 가까이에 놓았다. 그런데, 어떻게 된 거지? 어라라? 가방은 어디에? 안 보이는 것 같은데?

"…뭐, 그렇지. 그럴 수도 있지."

자다 일어났고. 누군가 훔쳐 갈 만한 장소도 아니었고. 돌아가려 해도 돌아갈 수 없게 될 거라고는 상상도 하지 않았을 테니.

쿠자크는 코를 훌쩍이며 그답지 않은, 너무나 어두운 목소리로 "…미안"이라고만 말했다.

하루히로와 눈빛을 교환한 시호루가 아아… 하고 납득한 얼굴을 했다. 메리도 사정을 알아차린 듯 쿠자크를 향한 눈빛이 걱정스럽다. 세토라는 수첩을 응시하며 작은 목소리로 뭔가 중얼거리고 있다. 키이치는 잠이 든 모양이다. 케지만의 코고는 소리가 시끄럽다.

하지만, 뭐.

어차피 돈이잖아?

큰돈이기는 하지만, 어마어마한 금액이지만? 없어진 건 아니고. 정확하게 말하면 잃어버렸다고 확정된 것도 아니고. 돌아갈 수만 있으면 1,000골드는 야영하던 장소에 있다. 물론, 돌아갈 수 있다면 말이다. 돌아갈 수 있을지 어떨지. 그야말로 그것이 문제인 거고. 돈 같은 것에 신경 쓸 때가 아니다. 돌아가면 전부 해결된다. 그 외에는 전부 나중이다. 돈은 됐어. 잊자. 잊어버리자. 잊자, 잊자고 마음먹으면 마음먹을수록 잊을 수 없게 된다. 집착하게 되어버린다.

그렇다. 이렇게 생각해보면 어떨까? 돈은 없었다. 1,000골드 같은 건 애초에 갖고 있지 않았다. 그런 것은 존재하지 않았던 것이다.

이걸로 가자. 응. 개운하다. …아깝네, 젠장.

아니야, 아니야. 돌아갈 거고. 무슨 일이 있어도 돌아갈 테다. 돈 때문이라기보다는, 돌아가야 해. 이 레슬리 캠프에서 나간다. 지금은 그것이 전부다.

뜻밖의 긍정적인 효과랄까, 저절로 기합이 들어갔다. 그래도 머릿속은 쿨하게. 냉정하게 생각하자. 충동적으로 일을 진행하는 것은 하루히로의 방식이 아니다. 단, 틀림없이 앞이 꽉 막혔다. 이대로 같은 일을 반복하다가는 아무리 생각해도 모두의 기력이 버티지를 못한다. 하루히로는 일어섰다.

"문을 열어보자. 다행히 바로 코앞이고."

옆방이니까 정말로 가깝다. 큰 소리로 코를 골고 있는 케지만은 말을 걸어도, 세토라가 발로 차도 깨지 않았기 때문에 내버려두었다. 하루히로 일행은 문방으로 이동해서 우선 문 외관을 빤히 쳐다 보았다.

"…열쇠다."

하루히로는 허리를 굽혀 문손잡이에 얼굴을 가까이 댔다. 문 자체는 목제였지만 손잡이와 백 플레이트는 금속으로 되어 있다. 손잡이 위와 아래에 뚫린 구멍은 열쇠 구멍이 틀림없어 보였다.

"열쇠 구멍이 이런 식으로 두 개 있는 것은 그리 자주 본 적이 없는데…."

"아아. 진짜네." 쿠자크는 하루히로 옆에 쪼그리고 앉았다. "열쇠로 잠근 건지 아닌지는 모르지만…."

아무래도 다시 일어나준 모양이다. 쿠자크는 기본적으로 나쁜 일을 질질 끌지 않는 성질이니까 성가시지 않아서 편하다.

"응. …글쎄. 보는 것만으로는 뭐라 말할 수가."

"이 열쇠 구멍으로 건너편이 보인다거나 하지 않을까?"

"해보지그래."

"괜찮아?"

"…괜찮은데. 만지지 마."

"알았어. 하지만, 밀지 마요?"

"밀 리가 없잖아…."

"그런 장면 더러 본 것 같아서."

쿠자크는 왼쪽 눈을 감고 오른쪽 눈을 열쇠 구멍에 접근시켰다. 잠깐이지만 밀어볼까 생각하지 않은 것도 아니었다. 뭐, 진짜 밀지는 않지만.

"어때?" 세토라가 물었다.

"아니. 안 보임다."

쿠자크가 문에서 떨어졌다. 보이지 않는 게 당연하다. 열쇠 구멍
은 외시경이 아니다.

갑자기 시호루가 숨을 들이켰다.

"…열쇠."

"나도 생각했었어. 그거."

하루히로는 입술을 핥았다. 상자에는, 그리고 분명히 선반 서랍
에도 열쇠 구멍은 없었다. 그런데 이 문에는 있다. 열쇠로 잠겨 있
는 것이라면 열쇠는 어디에 있는 건가?

의자 위에 열쇠 꾸러미가 놓여 있었다.

"도구는 갖고 있으니까 내가 피킹(열쇠 따기)을 해도 되지만. 의
외로 열쇠로 잠겨 있지 않다거나…."

하루히로는 그렇게 말하면서 메리의 표정을 살폈다. 메리는 하루
히로 쪽을 보고 있지만 약간 입을 벌리고 왠지 멍하니 있다. 상당히
피곤한 것이겠지. 틀림없이 그 탓이다.

세토라가 아까부터 자기 다리에 달라붙는 키이치를 안아 들었다.

문. 열쇠. 아무래도 이끌려 가는 것 같아서 마음에 들지 않는다.
지나친 생각일까? 겁쟁이라고 느껴질 정도가 오히려 딱 좋다고는
생각하지만, 이대로 있다가는 한이 없다. 어차피 위험 부담을 일절
감수하지 않을 수는 없다.

"…다들, 물러나 있어."

하루히로는 동료들을 후퇴시키고 나서 문손잡이를 잡았다.

눈을 가늘게 뜬다. 손의 감촉과 청각에 기댄다.

하려고 마음먹었으면 주저는 하지 않는다. 망설임은 감각을 어긋나게 한다.

손잡이는, 돌아가지 않았다.

아무리 힘을 주어도 미동조차 하지 않는다.

이 감촉. 소리. 잠겨 있다. 틀림없다.

하루히로는 손잡이에서 손을 떼었다. 고개를 숙이고 숨을 내쉰다. 꽤 땀이 나왔다. 유난히 차가운 식은땀이었다.

"안 열려. …열쇠를 가져오자."

열쇠 꾸러미는 바로 가까이에 있다. 이것도 또한 작위적이라는 느낌이 안 드는 것도 아니다.

아무튼 열쇠방에 가자 당연하지만 의자 위에 열쇠 꾸러미가 놓여 있었다. 거무스름하고 거의 윤기가 없는 금속 고리에다 같은 색에 모양이 제각각인 열쇠가 전부 아홉 개 걸려 있다. 손으로 잡아본 느낌으로는 딱히 무겁지도, 가볍지도 않다. 평범한 열쇠 꾸러미다.

문방으로 돌아가 일단 케지만을 두드려 깨웠다. 하루히로는 열쇠 꾸러미를 들고 문 앞에 서서 쿠자크와 모두를 약간 물러서게 했다.

"…그럼, 시험해본다."

열쇠는 아홉 개. 열쇠 구멍은 손잡이 위와 아래에 한 개씩. 하루히로는 적당히 열쇠를 하나 골라 우선 위쪽 열쇠 구멍에 꽂았다.

소리도 없이 쓱 들어갔다.

이 매끄러움은 이상하다. 게다가 열쇠가 열쇠 구멍에 딱 맞물렸다. 이것은 아마도 빠지지 않을 것이다.

열쇠를 빼봤다. 예상대로다. 꼼짝도 하지 않는다.

"…뭐야? 이거."

자기도 모르게 중얼거리고 말았다. 동료들에게는 들리지 않은 모양이다. 가라앉아라, 동요. 하루히로는 살며시 숨을 들이켜고, 내쉬었다.

그냥 열쇠 꾸러미가 아니었다. 그런 거였나? 어쩌면 이 열쇠 꾸러미도 렐릭인지도 모른다. 그렇다면 어떤 힘을 담고 있는 건가?

하루히로는 열쇠를 돌렸다. 소리로 알았다. 열렸다.

그 순간이었다.

열쇠가 연기로 변한 것처럼 희미해졌다. 그럴 리가 없다고 생각하는 동안에 흔적도 없이 사라져버렸다.

하루히로는 열쇠를 꽉 잡고 있었다. 그런데 그것이 사라져버리자 열쇠 꾸러미는 양탄자 위에 떨어져 소리를 냈다.

"…하루?" 세토라가 이름을 부른다.

하루히로는 열쇠 꾸러미를 줍고 나서 "…아, 응"이라고 뭐라 해석할 수 없는 대꾸를 했다.

열쇠를 세어봤다.

여덟 개다. 역시 여덟 개밖에 없다.

하나 모자라다.

하루히로는 돌아보고 모두에게 열쇠 꾸러미를 보였다.

"…열쇠, 열었더니, 사라져버렸어."

"뭐? 아니, 열쇠는 있잖아…?"

"아니, 사라진 건 사용한 열쇠 하나뿐이고…."

쿠자크에게 설명하는 동안에 다소 진정이 되었다.

"…이거 렐릭이야. 뭐랄까… 만능열쇠 같은? 일회용."

"나 줘!"

케지만이 두 손을 접시처럼 내밀었다.

"아니! 고용주로서 인도를 요구한다! 나는 너희를 고용한 거니까 그 렐릭의 소유권은 나에게 있는 게 마땅하다고요! 자, 이리 넘겨!"

"기각한다."

세토라의 호통 한 마디에 케지만은 얌전해졌다.

"노노, 농담입니다요. 아이 참. 진심일 리 없잖아요. 우후후….."

얌전해진 게 아닌가?

아무튼 하루히로가 생각한 대로라면, 앞으로 여덟 번은 어떤 것이든 열 수 있다. 도적의 피킹은 경험에 좌우되며 반드시 성공하는 것은 아니다. 시간도 그런대로 걸린다. 또한 자물쇠의 종류에 따라서는 피킹이 통하지 않는 경우도 있다. 게다가 만능열쇠는 누구나 쓸 수 있다. 매우 편리하지만 생각하기에 따라서는 무서운 도구다.

하루히로는 손잡이 밑의 구멍도 만능열쇠로 열었다. 역시 사용한 만능열쇠는 사라지고 남은 것은 일곱 개가 되었다.

이걸로 문은 열릴 것이다.

"나에게 열게 해주지 않을래요?"

쿠자크가 말을 꺼냈다. 하루히로의 몸을 걱정하고 있는 것이겠지만, 만약 함정이 설치되어 있을 경우엔 쿠자크라면 우선 알아차리지 못한다. 거절하려고 했더니 세토라가 대안을 냈다.

"이럴 때에는 고용주인 케지만에게 열라고 하지. 고용주니까."

"저요?! 아, 아니, 하지만 그건….."

"뭐야. 입만 산 거였나? 재미없는 사내로군."

"재미없는 사내는 아닙니다요, 저는! 결코 아니야! 오히려 너무나 재미있어서 따라가는 건 무리. 좋은 손님으로 있어달라며 술집 여성들에게서 거절당한 적 다수! 좋았어, 해주지!"

케지만은 씩씩거리며 하루히로를 밀어젖히더니 덥석 손잡이를 움켜잡고 단숨에 돌렸다.

"…아니, 좀, 그렇게 급하게…."

"마왕이 나오나?! 사신이 나오나?! 어디 나와봐…!"

케지만은 문을 열어젖혔다.

그렇게 나오기냐.

"무, 뭐, 무, 무슨…!"

케지만은 몸을 뒤로 젖혔다. 브리지에 가까운 자세가 되었다. 어떤 의미에서는 대단해.

"도대체 뭐야? 이게에에에…?!"

하긴, 외치고 싶어지는 기분은, 케지만에게 공감하는 것은 싫지만, 모르지도 않아.

문 너머는 진보라색 막이었다. 어떻게 된 일인가?

어떻게고 뭐고 없다. 그야말로 의미심장하게 놓여 있었으니까 보통 창호재는 아니고 뭔가 특별한 문이 틀림없을 거라고 착각했다. 그렇지 않았다. 아무런 특별할 것 없는, 그냥 문이었다.

"…이럴 바엔 열쇠로 잠그지 말라고."

쿠자크는 쪼그리고 앉아 하아아아아 하고 요란하게 한숨을 내쉬었다.

세토라가 쿠자크의 어깨에 손을 올렸다. 그리고 그 손은 과연 자기 것인지 의아해하는 것처럼 빤히 보았다. 곧바로 손을 거둔다.

"하긴, 뭐…."

"…맥이, 빠졌지만. …이상한 일은 일어나지 않았으니, 뭐….”

시호루는 어색하게, 힘없이, 아하하… 웃었다. 하루히로가 뭔가를 저지른 것은 아니지만 왠지 면목이 없다. 그래도 시호루의 말대로 좋게 생각해야겠지. 좀처럼 어렵긴 해도.

메리는 아직 문 너머로 시선을 향하고 있다. 멍하니 있는 건가? 그런 건 아닌 모양이다. 표정이 굳어 있다. 날카롭다고 말해도 좋은, 뭔가 의아한 것 같은 눈빛이다.

하루히로도 문 너머로 시선을 향했다. 그때였다.

"제기라아아아알…!”

케지만이 고함을 쳤다. 홧김에 그러는 건지 문 너머의 막에 태클이라도 할 셈인 모양이다. 마음대로 해. 하루히로는 말리지 않았다.

그렇게 나오기냐.

"…없….”

하루히로는 무슨 말을 하려고 했던 거지? 없? 그다음은? 모르겠다.

무슨 일이 일어난 건가?

그것도 모르겠다.

"…없어?”

쿠자크가 말했다. 그런가.

없다.

어쩌면 하루히로도 그렇게 말하려고 했던 건지도 모른다.

"어디로 간 거야…?”

세토라가 중얼거렸다. 물론 케지만을 말하는 것이겠지.

"사라졌다.”

메리도 놀라기는 한 것 같다. 얼굴이 굳어 있다. 하루히로는 어째서인지 약간 안도했다. 아니, 안도하고 있을 수는 없다. 사라졌다.

케지만이.

시호루는 눈을 크게 뜨고 몇 번이나 머리를 흔들었다.

문은 열린 채로 있다. 문틀 너머에 있는 진보라색 막은 조금도 흔들리지 않는다. 케지만은 저 막을 향해서 돌진했다. 그러나 접촉은 하지 않았다. 그 바로 직전에… 사라졌다?

"이상, 하… 네?"

쿠자크는 문에 다가가 오른손을 뻗었다.

"잠깐만 기다려."

메리가 약간 무서운 목소리로 말리려고 했을 때에는 이미 쿠자크의 오른쪽 팔꿈치부터 손까지가 사라진 뒤였다.

"…아?"

"무…."

이번에는 자기가 무슨 말을 하려고 했는지 알고 있다. 무슨 일이야? 말을 끝내기도 전에 하루히로는 쿠자크의 오른팔로 덤벼들었다. 품에 끌어안듯이 해서 이쪽으로 잡아당겼다.

"아야야야얏?! 하, 하루히로, 이거, 뭔가, 저쪽에서도…."

"뭐어?!"

틀렸다. 다리에 힘을 주고 힘껏 잡아당겼지만 빠지지 않는다. 쿠자크는 아파하고, 그보다 더 당황하고 있다.

"위험해, 위험하다고! 뭔가, 저쪽에서도 끌어당기는 것 같아!"

"히, 힘내!"

"아니, 나도 힘내고 있지만! 진짜 이거, 저쪽으로 가버리면, 왠지 뭔가….”

쿠자크는 무슨 생각을 했는지 왼손까지 문 너머로 찔러 넣었다.

사라졌다.

쿠자크의 왼쪽 손목부터 손이.

영문을 모르겠다. 하지만 그건가? 상황을 생각해보면, 문 너머에 들어가면 사라져버린다, 그런 건가?

“어, 없어지는 건 아닌 것 같아! 가, 감각은 있어! 오른손, 저쪽에서, 당기고 있고! 하지만 들어가면 나올 수 없는 것 아닐까? 이거……….”

“그럴 수가….”

하루히로는 경악했다. 그래도 쿠자크에게서 떨어지지 않고 계속 잡아당겼다.

“…젠장, 미안. 하루히로, 여러분. 나는 저쪽으로 가는 수밖에 없는 것 같아. 따라오지 않아도 돼. 어디로 나갈지도 모르고. …정말 미안!”

쿠자크는 왼팔을, 그리고 왼쪽 다리, 오른쪽 다리도 문 너머로 밀어 넣었다. 사라진다. 점점. 쿠자크가. 이건 엄청나게 기묘하다.

“우, 와….”

쿠자크가 빨려 들어간다. 아니, 저쪽에서 잡아당기는 것이다. 하루히로는 여전히 쿠자크를 붙잡고 있다. 이제 오른팔이 아니다. 뒤에서 쿠자크의 몸에 두 팔을 두르고서 달라붙어 있다.

“하, 하루히로, 놔. 나는 괜찮아. 어떻게든 할 거고… 꽤, 괴롭고.”

“왜, 웃는 거야? 너.”

“그야 울 일도 아니잖아.”

"…그러네."

하루히로는 두 팔의 힘을 뺐다.

쿠자크의 몸이 하루히로의 팔에서 빠져나간다.

순식간이었다.

쿠자크는 문 너머로 삼켜져버렸다.

"…하루히로 군."

시호루가 이름을 불러도 하루히로는 돌아보지 않았다.

"미안. 아직 같이 의논하지 않았지만. …어떻게 할지 이미 결정했어."

시호루는, 그리고 메리도 반대하지 않겠지.

냐아. 키이치가 울었다.

"참 내…."

세토라는 어이없어하는 건가? 즐거운 것 같기도 했다.

"너희들과 있으면 싫증이 나지 않아."

시작의 형태는 동일하지 않다.

예를 들면 이런 식으로 시작되는 일도 있다.

문틈을 지나자 그 앞에서는 바람이 불고 있었고 명백하게 공기가 달랐다.

"…달아."

맛인가? 향기인가? 모르겠다. 아무튼 은은하게 달다.

눈부시지는 않지만, 밝다.

야릇한 풍경이다.

지면은 희다. 모래인가? 입자의 크기가 제각각이라 사락사락이라기보다는 오톨도톨이다. 높이 3미터인지 4미터 정도의 식물로 보이는 것이 우거져 있다. 보기에도 선명한 핑크색이고, 어쩌면 산호 같은 생물인지도 모른다.

지상이지만. 호흡은 문제없이 가능하니 지상이라고 생각한다.

하늘은 유백색으로 군데군데 살짝 푸른빛을 띠고 있다. 물방울 모양 같다. 하늘에 흩뿌려진 반짝거리는 것은 혹시나 별인가? 낮인데도. 아니면 밤인가? 태양 같은 것은 보이지 않는다. 밝으니까 역시 낮인가?

쿠자크가 케지만과 얽혀 하얀 땅바닥에 나뒹굴었다.

"…하루히로."

"당신이었나…?"

하루히로는 이마를 눌렀다. 물론 쿠자크에게 한 말이 아니다.

쿠자크를 반대쪽에서 잡아당겼다. 누구 짓이었던가? 그렇지 않을까 하고 어렴풋이 짐작은 했지만, 지금 분명해졌다.

"나, 나는, 그러니까, 그게….."

케지만은 쿠자크를 놓아주기는커녕 더 달라붙었다.

"…왜냐하면… 왜냐하면, 외로웠다고요. 이런 곳에서 혼자라니, 농담이 아니라고요. 그렇지요? 죽어버리면 어떻게 해줄 거냐고요!"

"저기 말이야… 달라붙은 채로 울지 마. 답답해서 숨 막혀. 그보다 기분 나빠."

"기분 나쁘다고 말하지 마! 우리 사이에. 쿠자크 군!"

"아무 사이도 아닌데요, 당신과 나는. 하지 마요…. 진짜, 진짜로….."

곧이어 세토라와 키이치, 시호루, 메리 순으로 이쪽에 나타났다.

"…여기는…?"

시호루는 후후, 숨을 내쉬면서 두리번거렸다. 세토라의 표정은 평소와 다름없었지만 키이치를 꼭 껴안고 있는 것을 보면 역시 조금은 불안한 모양이다. 메리는 눈을 살짝 내리깔고 입술을 꼭 다물고서 뭔가를 떠올리려고 하는 것 같다.

세토라가 코를 씰룩거렸다.

"뭔가, 달큰하군."

하루히로는 끄덕였다. 공기가 달다니, 아무래도 기분 나쁘다.

"앗…."

시호루가 위쪽을 가리켰다.

"…저거… 점점, 커지는…?"

"우웃, 끼에에에에에에에에에에에에에에에에에…!"

케지만이 쿠자크에게 매달린 채로 소리치기 시작했다. 쿠자크도

"어, 어, 어, 뭐, 뭐야? 저거! 저게 뭐야! 어, 어, 어, 어떻게 된…?!"
이라며 떠들고 있다.

"별…?" 메리가 중얼거렸다.

"유성인가?"

세토라는 그나마 비교적 차분한 것 같은데, 이런 경우에는 좀 더
당황해도 되는 것 아닐까?

물방울 모양의 하늘에 흩어져 있던 반짝임 중 한 개가 시시각각
그 크기가 변화했다. 작아진다면 이윽고 보이지 않게 되어 그걸로
끝이었을 것이다. 그러나 커지고 있다. 이것은 무시할 수 없다. 저
별 같은 것은 지표면으로 다가오고 있다. 낙하다. 별이 떨어진다.
게다가 아마 상당한 속도다.

"퇴…."

하루히로는, 퇴각, 이라고 말하려고 했으나, 망설였다. 별은 이
미 인간의 머리 크기 정도다. 하루히로 일행을 향해서 똑바로 떨어
지는 것처럼 보이기도 했다. 퇴각해봤자 무의미한 거 아니야? 이건.
그러니저러니 하는 동안에도 별은 두 배, 또 두 배로 가속도가 붙어
쑥쑥 자라났다. 자라는 게 아닌가?

"도… 도망치는, 게…?"

시호루의 재촉에 하루히로는 제정신으로 되돌아왔다. 그렇다. 나
혼자라면 또 몰라도 동료들이 있다. 쉽사리 포기하면 어떻게 해.

"뛰어, 흩어지지 않도록! 어서, 뛰라고!"

하루히로는 아직 쿠자크를 놓아주려고 하지 않는 케지만의 엉덩
이를 걷어찼다.

"히이익?!"

케지만이 튕겨나가듯이 뛰기 시작하자 몸이 자유로워진 쿠자크도 달렸다. 세토라와 키이치도, 그리고 메리와 시호루는 손을 맞잡고 그 뒤를 따랐다. 하루히로는 제일 뒤에 붙었다. 고개를 돌려 위쪽을 보니 별은 뭔가에 비유하는 것도 어려울 정도로 컸다. 이렇게 큰 게 또 뭐가 있더라? 어느 정도 거리인 건가? 머리 위 수백 미터라거나? 하지만 좀 이상하다. 유성이라는 건 보통 불타는 것 아닌가? 마찰열 비슷한 것 때문에. 그런 기색은 없다. 뜨겁지도 않고. 딱히 소리도 나지 않는다. 그저 오로지 다가온다. 이렇게도 거대하고 이토록 번쩍거리는 물체를 목격하는 것은 이것이 처음이자 마지막일지도 몰라. 이쪽으로 떨어지는 게 아니었다면 그 광경에 사로잡혀 바라보고 있을 뻔했다. 굉장해. 무슨 색인지도 알 수 없는, 분명 색 같은 건 없는 번쩍임이 시야 한가득 퍼져서, 아아, 정말로.

"다들…."

거기까지는 간신히 말이 나왔지만 그 뒤는 의미 불명이랄까, 의미 같은 것이 없는 외침으로 변했고 동료들의 목소리가 뒤섞였다. 박살 난다. 압력 같은 것을 온몸에 느꼈다. 끝났다… 고 생각했다. 하지만 생각할 수 있다는 것은 끝난 게 아니라는 건가? 파아아아아아아아아아아아아아아아아아앙… 뭔가가 폭발했다. 하루히로는 날려가서 굴렀다. 얼굴이 온통 모래 범벅이 되었다. 눈이 따끔거렸다. 보이지 않는다. 아무것도. 귀도 이상하다. 박살 나지는 않은 것 같다. 살아 있다. 뭐였던 거야? 방금 그거.

하루히로는 모래를 털면서 일어났다.

"쿠자크! 시호루! 메리! 세토라! 무사…?!"

자기 목소리가 유난히 멀리서 들리고 일그러진 것처럼 느껴졌다.

"나, 나는 괜찮아! 다들 어디예요?! 잘 안 보여…!"

"…나는, 괜찮아! 메리도, 여기에…!"

"응, 간신히…!"

"뭐였던 거야?! 키이치?!"

"냐아…!"

"사, 살아 있어, 나?! 기적적으로?! 살아 있다는 건 근사한 거야 앗…!"

약 한 명, 필요 없는 남자도 포함해서 전원 어떻게든 건재한 모양이다.

하루히로는 눈을 깜빡이기도 하고 비비기도 하면서 시력이 회복되기를 기다렸다.

흐릿하지만 보인다. 점점 뚜렷해졌다.

"…이건."

눈 같은 것이 내리고 있다. 손바닥에 닿자 그것은 쓱 사라져버렸다. 차갑지는 않다. 눈은 아닌 모양이다. 뭐지? 뭔가와 비슷하다.

쿠자크가 긴 팔을 뻗어 그것을 몇 개 한꺼번에 움켜잡았다.

"…뭐지? 이거. 마치 작은 비눗방울 같네."

"아, 듣고 보니…."

하루히로는 물방울 모양의 하늘을 우러러보았다. 어쩌면 무수히 쏟아져 내리는 미세한 비눗방울 같은 이 물체는 추락한 별의 파편인지도 몰라. 그렇다는 것은, 그것은 분명 별은 아니었던 것이겠지. 그럼 뭐냐고? 하루히로는 알 수가 없다. 한숨이 흘러나왔다.

"…일단, 죽지 않아서 다행…."

"오우갓?!"

케지만의 비명이라는 건 금방 알았기 때문에 일단 보고 싶지 않다는 생각이 뇌리를 스쳤으나 그럴 수도 없다.

목소리가 들린 쪽으로 눈을 향하자 핑크색 산호 같은 식물인지 무슨 덤불 앞에 케지만이 엎드려 있었다. 특기인 기행인가? 아니.

아니다. 그게 아니다.

"사사사사사, 사람 살려…!"

케지만이 끌려간다. 덤불이다.

"힉…." 시호루가 비명을 질렀다.

덤불 속에, 뭔가가 있다.

"어이, 어이, 어이…."

쿠자크는 겁을 먹었다기보다 어이가 없는 모양이었고 하루히로도 그것은 마찬가지였다.

거미, 인 건가? 덤불 속에 거대한 거미 같은 생물이 있다. 하지만 어디까지나 같은… 이고… 뭐랄까, 명백히 거미가 아니다. 다리가 거미와는 달랐다. 문어발 같다. 그렇다면 문어 아니야? 그렇게 말할 수도 없다. 전체적인 형태는 역시 거미를 닮았다. 사실 머리 부분은 거미도, 문어도 아니다.

유난히 안색이 나쁜 정도가 아니라 새하얗고, 흰자위 부분이 검고, 검은 눈동자에 해당하는 부분이 금색으로 빛났다. 수컷인지 암컷인지도, 아니, 남자인지 여자인지도 구별이 안 되지만, 대머리의 인간이다.

케지만은 그 녀석의 다리에 붙들려서 "아후이잇…?!"이라는 의문의 음성을 남기고 덤불 속으로 끌려 들어가고 말았다.

어떻게 된 것인가? 케지만의 모습은 이제 보이지 않는다. 목소리도 들리지 않는다.

괴물이 아직 덤불 속에 있다.

입을 뻐끔거리면서 그 기분 나쁜 눈으로 이쪽을 보고 있다.

하루히로는 무릎을 숙이고 몸을 앞으로 기울인 자세를 취했다. 어쨌거나 케지만은 고용주다. 게다가 하루히로도 악마는 아니다. 구해줘야 한다.

발을 앞으로 내밀려고 했다.

그 순간 놈이 후퇴하기 시작했다.

문어 같은 다리를 꿈틀거리면서 엄청난 속도로 물러난다.

"하루!"

메리인지, 세토라인지. 누가 부른 건가? 순간적으로는 판단이 서지 않았다.

하루히로는 대거를 뽑았다. 지면이다.

모래 속에서 시커먼 것이, 아마도 손이 튀어나왔다.

하루히로가 재빨리 오른발을 들지 않았다면 그 검은 손 같은 것에 발목을 잡혔을 것이다.

검은 손 같은 것이, 아니, 그 본체… 라고 말해야 할까? 땅속에서부터 기어 올라온다.

하루히로는 펄쩍 뛰어 물러섰다.

이 녀석은, 사람, 인가? 아무튼 검다. 손뿐만이 아니다. 팔에서부터 어깨도, 머리도, 목도, 가슴도, 동체까지 검다. 그런데 놈에게는 다리가 없다. 대신에 말미잘 같은 것이 나 있다. 머리 부분에는 눈도, 코도 없이 세로로 갈라져 있고. 저것이 입인가? 가느다란 가시 같은 이빨이 나 있다. 온몸이 여기저기 온통 검지만 구강 안은 노랗다. 선명한 레몬옐로다.

그 검고 기괴하기도 한 상반신+말미잘 놈은 하나가 아니다. 여기저기에서 한꺼번에 나왔다. 엄청 많다. 동료들은 괜찮은가? 얼핏 보는 바로는 아무도 붙잡히지 않은 것 같다. 일단 지금으로서는.

"뭐야? 이놈들…?!"

쿠자크가 대검을 뽑아 검고 그로테스크한 상반신+말미잘 놈, 너무 기니까 흑그로라고 부를까? 그 팔 하나를 휙 베어 날렸다. 메리와 세토라는 응전하고 있는 건가? 시호루는? 확인하고 싶다. 그럴 여유가 없다. 몇 마리나 되는 흑그로 놈이 기어온다.

놈들이 붙잡으려고 덤비는 손과 물려는 머리를 하루히로는 춤추는 듯한 몸놀림으로 피했다. 물론 춤추고 싶은 욕구는 전혀 없다. 춤은 자신 없고 좋아하지도 않는다. 하루히로는 오로지 필사적으로 피하고 있고, 그 결과 대단히 복잡한 스텝을 밟게 된 것이다. 그러나 위험하네, 이거. 진짜 위험해.

"덤불…!"

에도 주의해. 하루히로는 동료들에게 그렇게 주의를 환기시키고 싶었지만 끝까지 말하지 못했다.

예의 핑크색 산호 비스무리한 식물인지 뭔지의 덤불은 사방 천지에 있다. 하루히로 일행은 덤불에 포위당했다고 말해도 될 것이다. 마침 하루히로의 바로 뒤에도 덤불이 있는데, 수상했다. 분명히 위험하다고 생각했는데 역시 거기에서 또 괴상한 생물이 튀어나왔다.

"우왓…."

소위 그리마라는 것이다. 단, 크다. 인간 어린이 정도 크기는 된다. 게다가 그놈의 희멀건 다리는 인간의 팔로밖에는 보이지 않는다. 그런 것이 잔뜩 달려 슬렁슬렁 움직이고 있으니 좀 무섭다. 좀이 아니지. 상당히 무섭다.

하루히로는 채 피하지 못하고 그놈에게 깔려버렸다. 20~30개나있는 다리 끝에 달린 작은 손이 꿈틀거리고, 그야 작으니까 닿으면기분이 나쁘다는 것 말고 실질적인 피해는 별로 없지만, 치밀어 오르는 생리적인 혐오감을 억누를 수가 없었다.

"…아아, 정말!"

하루히로는 곧바로 그놈을, 에잇… 밀어냈다. 그 참에 보려고 했던 것도 아니고 가급적 보고 싶지 않았지만, 그놈의 몸 앞쪽을 보고말았다. 동체 부분의 겉쪽은 외골격 같고, 뭐 그리마 비슷하고, 그래도 비교적 징그러운 느낌인데, 배 쪽으로 가면 좁쌀같이 자잘한알갱이들이 오톨도톨 잔뜩 달려 있었다. 예를 들자면 물고기 알 같은. 맞아, 물고기 알 비슷한. 저것은 알인가? 포란 중이야? 심는 건가? 심어버리는 계통의 놈이라거나?

"젠장…!"

하루히로는 벌떡 일어났다. 틀렸다.

이상해.

어딘가 이상한 게 아니야.

모든 것이, 전부 다 이상하다.

핑크색 산호 비스무리한 식물인지 뭔지도, 인간 머리의 문어거미도, 흑그로도, 포란그리마도, 떨어진 별도, 물방울 모양 하늘도, 지금 그 하늘을 날아가는 저것도… 뭐? 뭐야? 저거? 새? 아니, 아니다. 새치고는 길다. 너무 길다. 마치 내장 같은, 그렇다, 창자 같다. 저것은 창자다. 창자에 날개가 몇 쌍이나 달린 것 같은 놈들이 날아다닌다. 그런 일이 있을 수 있어? 없지 않아?

혹시나 하루히로가 제정신이 아닌 건지도 모른다. 왜냐하면 기이하니까. 너무 기이해서 뜬금이 없다. 꿈이 아니니까. 악몽이라고밖에는 생각할 수 없다.

하루히로는 거의 반사 신경에만 의지해서 포란그리마를 뿌리치고, 흑그로를 발로 차서 날려버렸다. 나보다 동료를, 특히 여자들을 생각해야 해. 생각하는 것보다도 행동해야 해. 알고 있다. 머리로는.

"여기에 있으면…!"

메리가 외쳤다. 안 돼, 라고 말하려고 했던 것이리라. 여기에 머물러 있는 것은 좋지 않아. 분명히 그럴지도 몰라. 이동하는 게 좋다. 단, 뭉쳐서 움직이지 않으면 서로 엇갈린다. 그것은 피하고 싶으니 움직이지 않는 편이 좋을까? 하지만 여기에서 흑그로 놈들이며 포란그리마를 계속 해치우면서 이 난국을 타개할 수 있는 걸까?

"웃…?!"

왼쪽 발목에 뭔가가 감겼다. 문어다. 문어 같은 다리. 인두문어거미인가?

이크. 말하기도 전에 쓰러졌다. 하늘을 향해 쓰러지는 건 좋지 않아. 몸을 틀었다. 엎드린 자세가 되어 대거를 지면에 꽂았다. 소용없나? 멈추지 않는다. 대거가 하얀 땅에 선을 긋는다. 선은 순식간에 똑바로 그어진다. 엄청난 기세로 끌려간다.

"으랴앗…!"

쿠자크가 날아와 대검을 휘둘러 문어발을 잘라내 주지 않았다면 케지만과 같은 꼴을 당했을 것이다.

"일어나!"

쿠자크가 손목을 잡아 일으켜주었다. 고맙다는 말을 할 틈은 없다. 흑그로 놈들이 잇달아 기어온다. 포란그리마도 덤벼들고, 인두 문어거미의 문어발이 뻗어오고, 날개 달린 창자까지 급강하해서 태클을 걸어온다. 하루히로는 포란그리마에게 팔꿈치 공격을 먹이고 흑그로를 발로 걷어차면서 날개 달린 창자를 대거로 베었다. 물컹한 감촉으로 창자가 찢어지고 형형색색의 액체인지 고체인지 구분이 안 되는 내용물을 쏟아낸다. 내용물은 김을 내고 있다. 따뜻하다기보다는 뜨거울 것 같다.

주먹 크기, 아니, 좀 더 작은 생물이 뿅뿅 뛰고 있다. 개구리인가? 체표면은 파랗기도 하고 빨갛기도 하고 노랗기도 하고 검정이나 녹색 줄무늬가 있다. 그런데 말이야, 왜 머리가 인간 아기 같으냐고. 게다가, 머리카락이 나 있다. 엄청 많고, 무섭다.

실수로 흑그로 놈에게 발이 걸려 넘어지자 곧바로 옆의 모래밭에서 무슨 생물이 얼굴을 내밀었다. 얼핏 보기에 눈은 보이지 않고, 털북숭이고, 두더지 비슷하다. 그런데 그놈이 입을 벌리자 주둥이가 불가사리 모양으로 여러 쪽으로 갈라지고 그 안쪽에는 눈알이 있었다. 하루히로가 자기도 모르게 "이익!" 하고 비명을 지르며 일어나려고 했더니 몇 마리나 되는 포란그리마가 몰려왔다. 놈들의 몸 안쪽 알갱이, 알 같은 알갱이, 알갱이, 알갱이가, 오로지 알갱이 알갱이라서, 너무 지나치게 알갱이라서, 알갱이에도 정도가 있다.

"…우우우우우우우우오오오오오오오오오오오오아아아아아아아아아아아아?!"

틀렸다. 안 돼. 안 되긴 뭐가? 잘은 모르지만 안 되겠어. 알갱이는 혹독하다. 이 알갱이의 알갱이 상태만은 도저히 참을 수가 없다. 하루히로는 발버둥치고 있다. 팔이며 다리며 몸 전체를 버둥거리며 몸부림치고 있다. 도망치고 싶다, 이 현실에서. 그보다 알갱이에게서. 이런 알갱이는 현실이 아니라고 생각하고 싶다. 포란그리마는 몇 마리 있는 건가? 알갱이는 몇 개인가? 이건 꿈이다. 그렇다. 틀림없는 악몽이야. 실신할 것 같다. 차라리 정신을 잃고 싶다. 그러면 분명 현실로 돌아갈 수 있을 거야. 어서 와 하고 말할 테니까, 다녀왔어라고 대답해줬으면 좋겠다. 누구든 좋으니까. 알갱이만 아니면 뭐든 좋아.

왼쪽 발목에 뭔가가 감겼다. 문어인가? 문어발인가? 안 보여서 모르겠다. 포란그리마의 알갱이 탓에, 즉, 알갱이가, 전부 다 알갱이 잘못이다. 젠장, 알갱이 주제에, 알갱이 놈. 하루히로는 "어부부부부"라고 외치면서 간신히 그 문어발인지 뭔지를 오른쪽 발로 차서 벗겨내려고 했다. 이제 여러 가지가 끝나버린 것 같은 느낌도 들지만, 이대로 끌려갔다가는 아마도 정말로 끝나버린다.

"아니, 나라니까, 나! 하루히로, 나야!"

알갱이 탓에 보이지 않지만, 들렸다. 쿠자크의 목소리였다. 쿠자크가 하루히로를 끌고 도망치려고 하는 걸까? 아니면 괴물이 쿠자크의 목소리를 흉내 내어 하루히로를 끌고 가려는 건가? 양쪽 다 있을 수 있는 일이다. 그야 알갱이니까. 아니, 알갱이는 상관없나? 상관없지는 않다. 알갱이니까. 악몽이라고밖에 생각할 수 없는 이 알갱이가 정말로 꿈이라면, 있을 법한 상황은 후자인 괴물 쪽인가?

괴물이라면 끝장이다. 하지만 왠지, 저항할 기력이 일지 않는다. 순전히 알갱이 탓이겠지.

하루히로는 순순히 끌려갔다. 포란그리마의 알갱이가, 와아, 히이아, 쿠와, 오우, 에아, 구와나, 니이아, 주아아, 라고 목소리 같은 소리를 낸다. 하나하나는 작은 소리지만, 알갱이의 숫자가 많고, 끊임없이 들려서, 뭐랄까, 이렇게, 귓가에서 수천 명이 알아들을 수 없는 말을 속삭이는 것 같은, 그런 식으로 안 들리는 것도 아니고, 이것이 상당히 무섭다. 알갱이니까. 알갱이가 알갱이인 만큼 무리인데도. 어쩌면 나는 지금까지 공포라는 것을 몰랐었는지도 몰라. 그렇게 하루히로는 생각할 수밖에 없었다. 무섭다는 게 이런 것이었나? 요컨대, 알갱이인가? 이제 말이지, 뭐든 좋으니까, 알갱이에게서 벗어나고 싶다. 정말 용서해줘. 알갱이 그만해줘. 이런 건 이상하다니까. 가능하다면 두개골 안에서 뇌를 끄집어내고 싶다. 그래서 뇌만이라도 좋으니 피난시키고 싶다.

갑자기 괴물인지 쿠자크인지가 하루히로의 왼쪽 발목을 놓아주었다.

하루히로는 더 이상 끌려가지 않게 되었으나, 포란그리마가, 알갱이가, 아직, 그거다. 뭐야? 뭐지? 무섭다. 살려줘.

"하루히로! 기다려! 지금!"

응.

기다릴게.

하루히로는 있는 힘을 다 쥐어짜 내어 가만히 견뎠다.

알갱이가 차례로 하루히로의 몸에서 벗겨진다. 특히 얼굴 일대에 붙어 있던 알갱이는 제일 먼저 제거되었기 때문에 금방 꽤 편해졌다.

물론 하루히로를 구조해준 것은 괴물 같은 것이 아니다. 쿠자크였다.

쿠자크는 하루히로에게서 떼어낸 알갱이, 아니, 포란그리마를 그대로 두지는 않고 근처의 산호 비스무리한 식물 같은 놈을 향해서 던지기도 하고, 밟아 뭉개기도 하고, 그래도 움직이는 놈은 대검으로 베기도 하고 찌르기도 했다.

엄청난 속도로 하루히로에게서 포란그리마가 제거되었다.

쿠자크가 없었다면 어떻게 되었을까? 포란그리마는 어째서인지 작당해서 하루히로를 제압하고, 배 쪽에 있는 알갱이를 비벼대고, 그 알갱이에서 이상한 소리인지 목소리인지를 내는 그 이상의 일은 하지 않았다. 하지만 그것만으로도 언젠가는 정신이 이상해졌을 것이다. 이미 약간 뇌의 상태가 미묘하달까, 그런대로 이상한 것 아닐까? 그런 의심을 버릴 수가 없다. 쿠자크는 구세주다. 고맙다. 정말로, 고맙다. 이 감사의 마음을 어떻게 표현하면 좋을까? 어떤 형태로든 다 표현할 수 없지 않을까?

"하루히로…!"

쿠자크가 악귀 나찰처럼 무시무시한 얼굴로 달려들었다.

와락 안겼다.

"무사하지?! 하루히로! 하루히로! 하루히로…?!"

하루히로는 고개를 끄덕였다. 끄덕였다고 생각하는데, 글쎄? 제대로 끄덕였나? 턱은 살짝 오르락내리락했다고 생각한다. 순식간에 시야가 부예졌다.

"하루히로?! 어이?! 왜 우는 거야?! 어디가 엄청 아파?!"

그런 게 아니야. 적어도 울 정도로 아픈 곳은 없지만 눈물이 멋대로 흘러나왔다. 하루히로는 손으로 눈물을 닦았다. 손놀림이 아무래도 위태롭다. 일종의 쇼크 상태인 건가? 몸에 힘이 잘 안 들어간다.

"…다들."

"아! 그렇지! 하루히로, 일어날 수 있어?!"

하루히로는 쿠자크의 도움을 받아 갖고 있는 모든 생명력을 총동원해서 일어섰다. 뭐랄까, 이건, 온몸이 저리다. 다리가 후들거린다. 머리는 어질어질하고 아직 눈물이 멈추지 않는다. 더욱이 눈이 가물거린다. 지독하게 기분이 나쁘다. 시호루. 메리. 세토라. 그리고 키이치는…?

"이런, 꽤 많이 떨어져 있네!"

쿠자크는 동료들이 있는 장소를 대충 파악하고 있는 모양이다. 하루히로는 모르겠다. 뭐지? 괴롭다. 묘하다. 숨을 잘 쉴 수가 없다. 공기가 들어와주지 않는다고나 할까. 심장 고동이 엄청나다. 죽는 것 아닐까? 아니, 아니. 그럴 때가 아니잖아. 죽고 있을 때가 아니다.

"가… 쿠자크… 가서… 시, 시호루… 랑…."

"아니, 하지만, 하루히로, 뭔가…."

"가라니까, 빨리! 나도 갈 테니까!"

"그럼, 따라와! 나한테서 떨어지지 마?!"

쿠자크가 뛰기 시작했다. 하루히로는 쫓아가려고 했다. 하지만 뛸 수가 없다. 숨도 제대로 못 쉬는 것이다. 다리가 휘청거려서 걷는 것도 힘들다.

아무튼 숨을 쉬자.

들이켜지 않으면 내쉴 수 없으니. 들이켜고.

들이켜고.

들이켜고.

달콤하다. 아아….

왜 달콤한 거지?

앞으로 가야지. 쿠자크는? 어디야? 모르겠다. 대거. 대거는? 있다. 떨어져 있다. 집어서, 그리고 나는, 앞으로 가고 있는 건가? 멈춰 서지는 않았다. 그렇게 생각한다. 어느 틈엔가, 덤불 같은 장소에 있고, 핑크색 산호 비스무리한 것을 헤치고, 헤치고, 생물인가? 괴물인가? 어쨌든 움직이는 것이 덤벼들어, 뿌리치고, 떨쳐버리고, 한 걸음씩, 혹은 반걸음씩, 걸어가고 있다. 그런데, 달다.

달아서, 너무 달아서, 왠지 이제, 졸리다.

졸려서 견딜 수가 없다.

아니, 안 돼. 졸면 어떻게 해? 나아가야 해. 어디로? 무엇보다, 무엇 때문에 나아가는 건가? 졸려. 뭐하는 거야? 나는. 달다. 달구나. 졸려. 어느 틈엔가, 엎어져 있었다. 일어나야 해. 아아, 하지만, 졸…….

그 남자의 얼굴은 보이지 않는다.

얼굴은 모르지만 아마도 남자일 것이라고 생각한다.

체격은 남자의 것이니까.

나는 그 남자 뒤에 있다. 어깨 너머에서 그 남자가 하는 것, 행동을 보고 있다.

그곳은, 어두운 건가? 밝지는 않다. 캄캄하지도 않다. 뭐랄까, 말하자면 전체적으로 세피아 색 비슷한. 조명 때문에 그렇게 보이는 건지도 몰라.

남자는, 걷는다.

발소리를 내지 않고, 예를 들면 스니킹(미행) 같은 요령으로.

보풀이 일어난 코트 같은 것을 입은 남자는 상당히 덩치가 큰데도.

벙어리장갑 같은… 아니, 보기에도 털실이니까 벙어리장갑일 것이다. 그것을 낀 오른손으로 뭔가를 움켜쥐고 있다.

흉기를.

그것은 주방용 칼과 비슷하다. 어쩌면 고기 자르는 칼인가?

집 안이다, 라고 깨달았다. 눈에 익은 집이다.

남자는 현관에서부터 신발을 신은 채로 복도로 올라가, 맞은편 오른쪽의 문, 왼쪽 문, 더욱이 그 앞에 있는 왼쪽 문을 무시하고 막다른 곳의 문으로 다가갔다.

자기 집, 인가?

아닌 것 같은, 느낌이 든다….

하지만 본 적이 있다.

알고 있는 집이다.

남자가, 문을 연다.

그런 때에도 남자는 거의 소리를 내지 않는다.

남자는 주의 깊고, 무엇보다도 익숙하다.

문이 열리자 소리가 들렸다.

따뜻함이 있는 소리다. 통, 통, 통, 통, 뭔가를, 분명 식재료를 썰고 있다. 그렇다, 그야말로 식칼로.

그 공간은 주방과, 거실, 다이닝 룸이 이어져 있다.

거실에는 오래된 소파와, 겨울에는 코타츠가 되는 테이블과, TV, TV 장식장, 그리고 캐비닛이 있다. 무슨 캐릭터의 피겨와 일러스트가 들어간 그릇 같은 것이 여기저기에 놓여 있고 사진이 여러 장 장식되어 있다. 어떤 사진도 새것은 아니다.

주방에는 식탁과 의자가 네 개. 식기장. 넓지는 않다. 어느 쪽인가 하면 좁은 편이다. 식탁 가장자리의 작은 꽃병에 꽂힌 꽃은 생화가 아니라 드라이플라워다. 아마 포인세티아였던가?

주방은 대면식 키친이고 여성이 앞치마를 두르고 요리를 하고 있다. 아마도 다소 늦은 저녁 식사 준비일 것이다.

여성은 아직 남자가 있는 것을 모른다. 빨리.

알아차려.

빨리.

큰일이다. 빨리 알아차리지 않으면 큰일 난다.

조언하고 싶다. 할 수 있다면. 할 수 없다. 보고 있는 수밖에.

여성이 식칼을 움직이던 손을 멈췄다. 칼을 놓고, 뒤를 돌아본다. 냉장고를 연다. 뭔가를 꺼낸다. 그것을 조리대에 놓고, 여기에서는 보이지 않지만 가스레인지 위에 냄비를 올려놓는 것이겠지. 그 뚜

껑을 연다.

여성은 그제야 뭔가를 깨닫는다. 어라? 누가 있나? 라는 듯이.

이미 남자는 주방에까지 들어와 있다.

그 모습을 보고 여성은 "앗" 하고 소리를 질렀다. 여성은 경악하고 공포에 떤다. 그야 그렇겠지. 남자는 꽤나 크다. 거한이고, 어떤 얼굴을 하고 있는지는 모르지만, 아름답고 단정하지는 않을 것이다. 당연히 추할 것이다.

게다가 남자는 손에 고기 자르는 칼 같은 흉기를 들고 있다. 그냥 들고 있는 것만이 아니라 언제든지 쓸 수 있도록 가슴 정도 높이까지 올리고 있다.

"끼야아아아아아아아악, 안 돼애애애애애애."

여성이 외쳤다. 뒷걸음질을 치다가, 뒤에 있는 선반에 부딪치자 선반에 있던 밥솥과 믹서, 커피메이커가 흔들린다.

남자는 아랑곳하지 않고 주방으로 침입한다. 여성은 밥솥, 믹서, 커피메이커에 손을 대고, 그것들을 쓰러뜨리면서, 도망친다. 눈 깜짝할 사이에 주방 제일 구석진 곳, 냉장고 옆까지 몰렸다.

바닥에 주저앉아서, 벽에 등을 대고 있는 여성에게, 남자는 끔찍한 짓을 한다.

먼저, 고기 써는 칼로, 여성의… 을… 하고, 다음으로… 을… 하고, 그리고… 해버린 여성의 …를, 자기 목에 두른다. 여성은, 그래도 아직 숨이 붙어 있다. 왜냐하면, 쉽게 숨이 끊어지지 않도록, 남자가 꼼꼼하게 일을 진행하고 있기 때문이다. 여성이 비명을 지를 때마다, 남자는, 쉬, 쉬, 조용히 하라고 여성에게 재촉한다. 조용히. 조용히. 조용히 하는 거다. 시끄럽게 굴면, 하기 힘들어. 알지? 떠

들지 마. 시끄럽게 굴지 마.

여성의 입장에서 보면 남자의 말을 들을 이유는 물론 없고, 거역해도 될 만한 것이지만, 남자가 윗니와 아랫니 사이로 쉬, 쉬 하고 마찰음 같은 끔찍한 소리를 낼 때마다 어째서인지 순순히 입을 다물고 고개를 끄덕끄덕한다. 지독한 짓을 당하고, 엄청나게 아픈 일을 당하고, 참지 못하고 절규해도, 쉬, 쉬 하고 남자가 명령하면 마치 그것이 습성인 것처럼 여성은 따랐다. 어떤 신호를 받으면 반드시 이렇게 반응하는 걸로 미리 설정되어 만들어진 기계처럼.

여성은 몇 번이나 입을 다물고 끄덕끄덕 끄덕인 끝에, 아픔 때문인지 아니면 피가 너무 많이 나와서인지 마침내 실신해버린다. 그러자 남자는 그제야 작업을 끝냈다. 즉, 여성의 심장을 찔러 두 번다시 눈을 뜰 수가 없게 한다.

도대체, 이놈은 도대체 뭐야? 이 남자는 누구인가? 도저히 사람이라고는 생각할 수 없다. 그 행동뿐만이 아니다. 털 벙어리장갑도, 고기 써는 칼도, 특히 상반신이 유난히 우악스럽고, 어깨나 팔이 부자연스럽게 우람하고, 가슴이 지나치게 두꺼운 몸도 뭔가 수상하다. 남자의 얼굴은 모른다. 그것이 가장 애매하고 기묘하다.

구역질이 났다.

아줌마한테 무슨 짓을.

그렇다, 그 여성을 알고 있다. 지금은 원형을 유지하지 못한 모습이다, 라고는 말하지 않겠지만, 여러 부분으로 나뉘어, 분해되어, 피와, 그 이외의 체액, 무슨 젤리상의 것, 뭉클한 것의 집합체, 그호수 속에 잠겨 있는, 그녀를.

이 집과 마찬가지로 알고 있다.

남자는, 아줌마를, 죽였다.

그것만으로는 성에 차지 않는지.

남자는, 꾸깃꾸깃한 코트 자락에 칼날을 비벼 닦으면서 주방을 떠났다. 역시 아까와 마찬가지로 발소리를 내지 않고 걷는다. 그러면서도 남자는 콧노래를 흥얼거리고 있다.

어딘가에서 들어본 적 있는 노래를.

그것은, 언젠가, 딱 한 번인지, 혹은 몇 번인지, 훨씬 옛날이었는지도 몰라. 여기가 아닌 어딘가에서 들었다.

제목은 모르고 가사도 잘 기억나지 않는다. 옛날에 유행했던 노래인가? 가요인지 뭔지도 모르고 어쨌든 후렴 부분의 멜로디만은 머리에 들러붙어서 떨어지지 않는다.

남자는 그 후렴 부분만을 몇 번이고 몇 번이고 콧노래로 흥얼대면서 주방에서 거실로 돌아가, 그리고 열려 있는 문을 지나 복도를 걸어간다.

남자는 멈춰 선다.

맞은편 오른쪽 문을, 조용히, 살며시 연다. 문손잡이에 피가 쩍 달라붙는다.

그 방은, 어둡다. 침대가 있다. 화장대가 있다. 책장이 있다. 침실이다. 아무도 없다.

남자는 문을 조금 닫고, 다 닫지는 않고 그대로 두고 걸음을 옮긴다.

…안 돼.

바로 맞은편에 또 오른쪽 문이 있다.

…그건, 안 돼.

이 복도.

저 거실, 다이닝 룸, 주방.

이 집을, 알고 있어.

남자가 콧노래를 멈추고 문손잡이에 손을 댔다.

…하지 마.

문손잡이를 돌린다.

…그러지 말아줘.

찰칵. 소리가 나고 손잡이의 회전이 멈췄다. 남자가 천천히 문을 연다.

불은 켜져 있다. 물건은 많지 않지만 깔끔하다고는 말할 수 없다. 가구는 옷장, 책상, 의자, 침대. 그것뿐이고 이불과 의류, 종잇조각, 필기도구 등의 문구가 어지럽게 흩어져 있다. 이 방에는 가족이랄까, 엄마… 아까 남자가 죽인 아줌마 이외에는 좀처럼 발을 들여놓지 않는다. 맨날 정리하라고 엄마가 잔소리해… 라고 그녀는 말했었다.

"그야 이걸 보면 당연히." 전에 빌려줬던 것을 돌려받으려고 이 집을 방문했을 때 방에 들어가서 그런 말을 했더니 "지저분하다는 뜻?"이라고 물었다. "아니, 지저분하다고까지는 말하지 않지만." "생각하잖아." "뭐, 약간은."

"금방 정리할 수 있어." 그녀는 말하고, 근처에 있던 잡다한 것들을 재빨리 옆으로 쓱쓱 밀어 방 한구석에 쌓았다. 그러자 순식간에 그 한구석에 생긴 산더미를 무시하기만 하면, 확실히 정리가 되어 있다고 표현 못할 것도 없는 상태가 되었다. "나도 할 때에는 한다니까." 그녀는 약간 자랑하듯이 말했고, 그 모습이 왠지 우스워서 그만 웃어버리자 그녀는 뾰로통해져서 "뭐야?"라며 어깨를 주먹으로 쳤다. 가볍게, 였지만.

그랬던 그녀가 침대 위에 모로 누워 약간 몸을 웅크리고 있다.

눈을 감지는 않았다.

졸고 있는 것은 아닌데도 낯선 남자가 자기 방에 들어왔다는 것을 아직 알아차리지 못했다.

그것은 그녀가 노이즈 캔슬링 이어폰을 꽂고 스마트폰으로 동영상을 보고 있기 때문이다.

그만둬줘. 제발.

남자가 소리도 없이 그녀에게 다가간다.

그녀의 이어폰에서 흘러나오는 소리가 희미하게나마 들린다.

그제야 그녀의 시야에 남자의 모습, 아마도 남자의 다리가 들어온 듯, 그녀는 헉… 하고 숨을 들이켜더니 온몸을 긴장시켰다. 오른쪽 귀의 이어폰을 빼면서 벌떡 일어나듯이 상체를 일으켰다. 그녀는 눈을 크게 뜨고 남자를 본다.

"뭐얏?!"

그리고, 그녀는 분명 소리 높여 비명을 지르려고 했던 것이라고 생각하지만, 남자가 왼손을, 그녀의 엄마의, 아줌마의 피로 흠뻑 젖은, 털장갑을 낀 왼손을 뻗어 그녀의 입을 막아버린다. 남자의 손은 크다. 그렇게 큰 손에 맞는 장갑은 분명 아무 데서나 팔지는 않을 테고 어쩌면 누가 손뜨개로 뜬 건지도 모른다.

그래서, 그녀의 입은 간단히 막힌다. 피범벅이 된 장갑을 낀 남자의 왼손은 그녀의 얼굴 아래쪽을 완전히 덮었다. 남자의 손에 비해 그녀의 얼굴은 너무나 작다. 그래서 실물이 아닌 것 같다. 그녀의 머리가 장난감처럼 보인다.

…하지 마.

마음만 먹으면 남자는 그녀의 머리를 깨부수는 것조차 불가능하
지는 않겠지.

할 수 있을 거라고, 생각한다.

…안 돼.

그녀는 뭔가 외치며 울기도 했다.

남자는, 쉿, 쉿 하고 예의 마찰음을 발한다.

하지만 그녀는 아줌마와는 달리 소리 지르는 것을 멈추지 않는
다.

이제부터 남자가 무엇을 하려는 건지 쉽사리 예상이 된다. 말리
고 싶다. 매달리고 애원해서라도 남자의 생각을 바꾸고 싶다. 부탁
이니까. 부탁이야. 부탁합니다.

그것은, 초코다.

초코는 두 손으로 남자의 왼손을 어떻게든 할퀴려고 했지만 꿈쩍
도 하지 않는다. 남자의 힘은 너무나 세다.

…안 돼. …안 돼. 안 돼. 안 돼. 안 돼. 안 돼. 안 돼. 안 돼.

쉿, 쉿 하고, 남자는, 입 다물어, 조용히 해, 라고 초코에게 명령
하면서, 오른손에 든 칼을 치켜 올리더니, 그리고 내리친다.

초코의 왼쪽 어깨에 식칼이 꽂혔다.

마치 받아들이는 것처럼.

아무쪼록 내 속으로 들어와주세요, 어디까지고, 한없이, 들어와
도 좋답니다, 라고 말하는 것처럼.

남자의 칼은 초코가 몸에 걸친 옷을, 피부를, 살을 베어내고, 쇄

골까지 쉽사리 잘라버린다. 쑥쑥 거침없이, 한없이 들어간다.

초코의 비명은 더욱 끔찍한 것이 되었다. 남자는 그것을 완전하게는 아니지만, 피에 물든 장갑을 낀 왼손으로 흡수한다.

초코는, 아파, 아파, 아파… 라고 외치고 있다. 그만해. 그만해. 그만해. 그만해.

남자는 목을 가로로 흔든다. 그만두지 않아. 그만두지 않아. 그만두지 않아. 그만두지 않아. 절대로 그만둬주지 않는다.

쉬, 쉬 하고 마찰음을 내면서 남자는 칼을 일단 초코에게서 빼내더니 이번에는 옆으로 휘둘러 초코의 옆구리를 베었다. 초코는 부에에에에엣이라고 짖는 것처럼 비명을 질렀다. 칼을 다시 빼자 그 상처가 벌어지고 안에서 뭔가 호스 같은, 내장인지, 삐져나왔다기보다 튀어나와버린다. 초코의 왼쪽 어깨 상처에서는 콸콸 핏줄기가 솟구쳤다. 초코는 반쯤 눈을 까뒤집고 있다. 남자는, 쉬, 쉬, 라고 한다. 이번에는 조용히 하라는 게 아니라, 어이, 이봐, 기절하지 마, 아직이다. 아직이야, 힘을 내봐, 이렇게 격려한다. 좀 더야. 좀 더. 남자는 칼을 초코에게서 뺐다가 다시 쑤셔 박는다. 그러는 동안에도 남자는 장갑을 낀 왼손으로 계속 초코의 입을 막으면서 머리를 움켜쥐어 고정하고 있었다. 그렇게 하지 않으면, 초코는 이제 의식이 있는지 어떤지 확실치 않지만, 적어도 축 늘어져 있으니까, 그 자리에, 초코의 혈액과, 내장과, 그 내용물로 엉망으로 더러워진 침대에 쓰러져버리겠지. 그렇게 되지 않도록 남자는 먹잇감을 고정틀에 매달아 해체하는 것 같은 방식으로, 초코를 왼손으로만 들고 있다. 매달고, 사냥감을, 초코를, 갈기갈기 찢고, 때로는 깎는 것처럼, 마음대로, 훼손한다. 이것은 능욕보다도 훨씬 더 지독하다.

이 짐승보다 못한 놈. 무슨 짓을. 그만둬. 그만두라고. 아아, 하지만, 늦었다. 이미 늦었다. 이제, 초코는.

너는 누구냐?

웬 놈이냐?

남자는 돌아본다.

그제야 그 얼굴을 본다.

남자는, 그 정체는.

나다.

남자는, 나와 같은, 얼굴을 하고 있었다.

"…웃…."

머리를 얻어맞은 것 같은, 아니, 그보다 높은 곳에서 떨어져 온몸을 부딪친 것 같은 충격을 받고 눈을 떴다.

잠들었던 건가? 그렇다. 하얀 모래밭 위에 누워 자고 있었다.

무슨 꿈을 꾸었던 것 같은, 느낌이 든다.

좋은 꿈은 아니었다. 좋기는커녕 끔찍한 악몽이었다. 내용은 전혀 생각나지 않는다. 그보다 꿈이 어쩌니 하고 있을 때가 아닌 것 같다.

모래밭에 누워 있는 하루히로의 바로 앞에 누군가의 다리가 있었다. 그 누군가는 장화를 신고 비옷 같은 것을 입었다. 원래는 빨간 비옷이었는지도 모른다. 상당히 지저분해져서 갈색이나 흑갈색 얼룩무늬가 되었다. 전체적으로는 검붉다.

손에 삽으로 보이는 것을 들고 있다. 보이는, 이랄까, 손잡이가 달린 그럭저럭 긴 자루 끝에 숟가락 같은 형태를 한 날이 붙어 있다. 몹시 거무튀튀해지고 전체적으로 울퉁불퉁하지만 십중팔구 삽이겠지.

"크앗…!"

그 누군가가 두 손으로 든 삽을 엄청난 기세로 치켜 올렸다.

타앙… 뭔가를 튕겨냈다.

"아…."

의미 없는 목소리를 낸 하루히로에게 내려다보는 시선이 날카롭게 박힌다.

"비켜!"

비옷은 후드를 눈가까지 뒤집어썼고 거무스름한 천인지 뭔지로 얼굴 아래쪽 반을 가렸다. 그래서 그 용모는 거의 알 수 없다. 단지, 말투는 둘째치고 목소리의 느낌과, 그리 다부진 체격이 아닌 걸로 봐서는 여성인가? 생각했다. 어쨌든 지금은 비옷의 말을 듣는 것이 우선이겠지.

비옷은 혼자서 거기에 서 있는 것이 아니었다.

거한, 이다.

비옷 앞에 커다란 남자가 우뚝 서 있다.

"…말도, 안 돼."

한순간 머릿속이 새하얗게 될 뻔했다.

남자는 비옷 못지않을 정도로 더러워진 코트를 입었고, 편물 장갑을 낀 손으로 고기 써는 칼 같은, 보기에도 흉흉하기 짝이 없는 흉기를 쥐고 있다. 그 고기 써는 칼이 비옷을 맹렬하게 내리치려고 했다.

하루히로는 망연자실하기 일보 직전에 벌떡 일어났다.

"큭…!"

비옷이 남자의 고기 써는 칼을 삽으로 쳐냈다.

하루히로는 두 발자국, 세 발자국 뒷걸음질을 치면서 넋이 나가 있었다. 저런 걸 용케도 쳐내는구나. 왜냐하면, 저 남자, 쿠자크보다도 큰 것 같고. 키보다도 상반신, 몸통 둘레라거나 어깨나 팔 같은 것의 굵기가 엄청나다. 인간은 보통 아무리 단련을 해도 저렇게 되지는 않을 것이다. 보기에도 규격 외랄까, 표준의 영역을 벗어나 가능 영역 같은 것조차 일탈했다. 그렇다는 것은, 일단 인간형일 뿐이지 인간이 아닌 건가?

그 결론에는 납득할 수 없는 이유가 있으니까 곤란하다.

남자의 얼굴이다.

믿기 힘들고, 믿고 싶지 않다. 하지만 하루히로의 시각과 기억이 이상해진 것이 아니라면, 저 꺼림칙한 거한의 얼굴은 낯이 익다.

잘 알고 있다. 숙지하고 있다고 말해도 좋다.

"…왜, 나야?"

머리카락이 없다. 대머리다. 눈썹도 없고 핏기가 없어 창백하다. 그래서 얼핏 본 인상은 좀 다르지만, 얼굴의 구성은 몇 번을 확인해도 하루히로의 그것이다.

"그야!"

외치면서 비웃이 앞으로 나섰다. 삽을 비스듬히 치켜 올린다.

빠르다.

"네가 꾼 꿈이니까 그렇지…!"

하루히로의 얼굴을 한 거한도 의표를 찔렸는지 반사적으로는 피하지 못하고 왼팔로 삽을 막아내려고 했다. 그러나 막지 못했다.

거한의 왼팔이 팔꿈치 조금 아래 부분 부근에서 싹둑 잘려나갔다.

저런 식으로 벨 수 있는… 것인가? 삽의 날이라는 게? 엄청나게 열심히 갈아두면 잘리… 나?

거한의 왼팔이 모래밭에 떨어졌다. 장갑을 낀 왼손이 꾸물꾸물 움직인다. 절단면에서 흐르는 피는 분명히 빨갛다.

거한이 후퇴한다.

비웃은 삽을 겨눈 채로 얼굴만 하루히로 쪽을 돌아보았다.

"저놈은 분명히 네가 만들어낸 몽마다. … 상당한 이드다."

"…의미를 모르겠는데요."

"그렇겠지. 딱 봐도 신참 같으니."

말하는 동안에도 거한은 서서히 물러나 마침내 방향을 틀어 뛰기 시작했다. 비옷은 쫓아가지 않았다.

"도망쳤나? 뭐, 됐어."

삽을 어깨에 걸치고 한숨을 쉰다.

거한의 왼팔은 아직 꿈틀거리고 있다.

잠들어버리기 전에는 분명히 여러 가지 생물인지 괴물인지가 득실득실했다. 그런데 지금은 어떤가?

희한하게 조용하다.

핑크색 산호 비스무리한 식물인지 뭔지의 덤불 속에서 작은 것이 소리도 없이 움직이며 희멀건 그림자를 언뜻언뜻 내비친다. 그것 말고는 아무런 기척도 느껴지지 않는다. 바람도 없다.

게다가 지금 깨달았는데, 공기가 달지 않아.

비옷이 성큼성큼 걸어간다.

"…앗! 저기!"

하루히로는 자기도 모르게 불러 세웠다.

비옷이 한동안 그대로 걸어갔기 때문에, 무시하는 건가? 라고 생각했는데 갑자기 멈춰 서더니 귀찮다는 듯이 돌아보았다.

"뭐야?"

"…뭐랄까. 그러니까… 여기, 어디인가요?"

"파라노."

"그거, 지명… 입니까?"

"몰라. 하지만 여기는 파라노라고 불린다."

"…그런가. 그림갈이라거나 다스크렐름이나 다룽갈 같은 것… 인가? 이계…?"

"잘은 모르지만, 파라노는 타계라고 한다."

"타계….."

제일 먼저 '타계하다'라는 말이 떠올랐다.

무슨 의미였더라?

그거다.

죽는다는 뜻이다.

"…어라? 나, 혹시나, 죽었나…?"

"그럴지도."

비웃은 훗… 하고 코웃음을 쳤다.

"그럼 여기에 있는 놈들은 다들 이미 죽은 건가? 사후 세계인가? 그럴지도."

"…나뿐, 인가? 동료는? …그렇지. 저기, 나 말고도 몇 명이… 쿠자크와, 시호루와, 메리와, 세토라… 네 명이, 그리고 냐아가 한 마리, 있었는데. 모르시나요?"

"있었는지도 모르고. 없었는지도 모르고. 별이 떨어져서 제법 큰 소동이 일어났으니까. 몽마에게 잡아먹힌 건지도 모르고. 도망쳤는지도 몰라. 어느 쪽일까?"

"진지하게 물어보는 건데요…?"

"그래서, 뭐? 나도 진지하게 대답해야 하나? 왜? 이유는?"

"이유… 는, 별로, 없는지도 모르지만…."

하루히로는 고개를 숙였다. 거한의 왼팔은 여전히 움직임을 멈추지 않는다. 아직 살아 있는 건가? 기분 나쁘다. 나와 같은 얼굴이었고. 그의 팔이니까.

모래밭 위에 대거가 나뒹굴고 있었다. 집어서, 쥐어본다. 드워프 구멍산 대거다.

역시 여기는 사후 세계 같은 것이 아니다.

"…아니. 진짜 어느 쪽인지…?"

"어이, 너."

"아… 네?"

"이거."

비옷은 그 이름의 유래랄까, 멋대로 하루히로가 마음속으로 그렇게 부르고 있었을 뿐이지만, 몸에 걸친 비옷 안에서 주섬주섬 뭘 뒤졌다. 뭔가 꺼내더니 이쪽으로 휙 던진다. 그것은 하루히로의 발치에 떨어졌다. 거무스름한 천 같은 것에 끈이 달려 있다.

"…마스크?"

"그래. 하고 있는 게 좋아. 그러지 않으면 바람이 불 때마다 잠이 든다."

"바람이 불면… 잠든다?"

"파라노의 바람은 달다. 단 바람을 잔뜩 맡으면 졸음이 온다. 잠들면 꿈을 꾼다. 파라노에서 꾼 꿈은 사실이 된다."

과연 비옷은 무슨 말을 하고 있는 건가? 의아해하면서 하루히로는 대거를 칼집에 넣고 몸을 숙여 마스크를 집었다. 천을 몇 겹으로 겹쳐 꿰맨 듯 의외로 두께가 있다. 분명 수제다.

"…아까 그거. 내 꿈… 이라고. …몽마? 라고 했나요?"

"별이 내리기 전에는 항상 바람이 부는 거다. 별이 떨어진 곳에는 너 같은 녀석이 잘 나타난다."

"별…."

하루히로는 마스크를 써봤다. 두껍기 때문에 좀 답답했다.

"금방 익숙해져."

생각을 간파한 것처럼 비옷이 말했다.

하루히로는 고개를 숙였다.

"고맙습니다."

비옷이 귀찮다는 듯이 손을 흔들더니 다시 걸어가기 시작했다. 하루히로는 쫓아갔다.

"저기…."

"뭐?"

비옷은 앞을 향한 채로 대답은 해준다.

"당신도 처음부터 여기에 있던 건 아니… 지요?"

"뭐, 그렇지."

"언제부터?"

"글쎄."

"…모르는 거야?"

"파라노에서는 잠을 안 자도 된다. 기본적으로는 졸리지도 않아. 단, 바람을 맡지 않는 한은."

"잠을 안 자도 된다고?"

"배는 고파지고 목도 마르지만, 먹지 않아도, 마시지 않아도 죽지는 않아."

"어… 그럼… 배는 고파진다고? 하지만 먹지 않아도 된다… 는 건…."

"죽지 않으면 조만간 알게 돼."

"아침이라거나 밤은?"

"있다고도 할 수 있고 없다고도 할 수 있어. 시간은 잘 모른다. 파라노에서는 나이를 먹지 않는 것 같고."

"나이를… 먹지 않는다?"

"시간 감각이라고 하나? 그런 게 이미 없어졌으니까 분명하게는 말할 수 없지만, 아마도, 먹지 않아."

역시 나는 죽은 게 아닐까? 그런 생각이 들었다. 무엇보다도 여기는 그림갈이 아닌 다른 세계, 이계라고 해도 너무나 이질적이다. 너무 다르다. 그래서 이계가 아닌 타계인 건가?

비옷은 삽을 둘러메고 성큼성큼 다리를 움직인다.

아무튼 낡아 보이는 삽이다. 그런 것치고는 엄청나게 날이 잘 들었지만. 날 부분뿐만이 아니라 손잡이도 금속제이고. 녹이 많이 슨 건가? 여기저기가 다 거무스름해지고 매끄러운 부분이 하나도 없다.

잘 보니 삽자루며 날이며 군데군데 금이 가 있다. 그 금이 간 안쪽에서 빨간, 윤기 나는, 그러면서도 금속과는 질감이 다른, 예를 들면 동물의 살 같은 것이 엿보이는 것처럼 보였는데, 그것은 무엇일까?

그런 일보다 이대로 비옷을 따라가도 되는 걸까? 비옷은 파라노를, 그리고 여기에서 몸을 지킬 방법을 알고 있는 것 같다. 퉁명스럽긴 해도 분명 하루히로를 도와준 것일 테고, 단 바람을 막기 위한 마스크까지 주었다. 비옷과 함께 있으면 일단은 안심이다. …나는.

동료들이 뇌리를 스쳤다. 돌아가서 찾는 게 좋지 않을까? 하루히로는 걸어가면서 돌아보았다.

"…우웃." 이상한 소리가 흘러나왔다.

팔이다.

거한의 왼팔이 있다.

그러고 보니 거한이 도망간 뒤에도 저 왼팔은 살아 있었다. 왼팔이, 그리고 비웃과 하루히로가 걸어온 길에는 핏자국이 남아 있다. 손가락과 손목을 움직이면서 전진해서 하루히로를 쫓아온 건가?

"어, 어떻게…."

해야 해? 괜찮은가? 이거…?

당황하는 하루히로를 아랑곳하지 않고 비웃이 뒤로 가더니 거한의 왼팔을 짓밟았다. 왼팔은 낚인 물고기처럼 펄떡거렸다.

"팔팔하네. 이 정도면 이 녀석만으로도 이드를 빼앗을 수 있을까?"

"이드를… 빼앗는다?"

"시험해보지."

비웃은 삽의 날을 아래로 향하고 손잡이를 오른손으로 잡았다. 치켜 올렸다가 거한의 왼팔을 날로 찔렀다. 쑥, 쑥, 쑥. 몇 번이나 그 행동을 반복했다.

그저 왼팔 팔꿈치부터 아래쪽 부분이지만, 직시하기 힘들었다. 그 왼팔의 주인이 자기와 같은 얼굴이었던 탓일까? 그건 관계없나? 다소는 있나?

그러다가 거한의 왼팔은 꿈쩍도 하지 않게 되었다. 살이며 뼈도 흩어져 엉망진창이 되어버렸으니 과연 움직일 수 없는 건지도.

"…음…. 늘어났나? 이드가. 미세하게 증가했나?"

"저, 비옷 씨."

"비옷?"

"…아, 죄송합니다. 이름을 몰라서. …저는 하루히로라고 합니다."

"나는 앨리스C."

"씨…?"

"여기서는 그렇게 불린다. 앨리스라고 불러도 돼."

"앨리스….

하루히로는 고개를 갸웃거렸다. 뭔가가 걸린다. 석연치 않다고나 할까. 이 말투.

"…혹시?"

혹시 내가 착각하고 있었나? 그런가?

하루히로는 앨리스의 얼굴을 빤히 보았다. 실례인지도 모르지만 그러지 않을 수가 없었다. 그래봤자 비옷의 후드를 뒤집어쓰고 마스크로 얼굴의 반을 가려서 눈의 모양과 색깔 정도밖에 모르지만, 체형 탓도 있어서인지 남자라고는 생각할 수 없다. 어깨 폭은 좁고 키도 아마 하루히로보다 10센티미터 이상 작을 것이다. 그리고, 머리가 작다. 전체적으로 자그마하다.

"어, 저기… 죄송합니다. 나는, 왠지, 그러니까… 여성일 거라고 …."

"으음. 아무래도 상관없어. 그런 건."

"아니, 그래도. …뭐, 그렇게 말한다면…."

"남자든 여자든, 어느 쪽이든 상관없지 않아?"

"어, 그건 그렇… 지만, 요…?"

"하루히로."

"…네?"

"파라노에 온 걸 환영한다."

앨리스는 약간 눈을 가늘게 뜨고, 아마도 웃은 것 같다.

의심하지 않을 수가 없었다.

이거, 역시 꿈 아니야…?

하얀 모래밭에 핑크색 산호 비스무리한 식물 같은 것이 자라 있는 일대를 빠져나가자 유리산 기슭으로 나왔다.

유리산은 그 이름대로 투명하고 딱딱한 바위가 겹치고 쌓여 산이 된 것이다. 앨리스의 말에 따르면, 유리는 딱딱하지만 약한 것이라 발을 잘못 디디면 간단히 무너져버린다. 무너지면 성치는 못할 것이다. 잘되어도 큰 부상을 입고 잘못되면 죽는다.

유리산 기슭을 스쳐가듯이 해서 하얀 모래밭 위를 상당히 오랜 시간 걸은 것 같은 느낌이다. 하지만 정확하지는 않다. 시간의 흐름이 몹시 애매하다.

모래에 앨리스의 발자국이 점점이 찍혀 있다. 그 발자국을 밟지 않도록 걷는다. 그러지 않으면 앨리스의 발자국과 내 발자국이 겹쳐져 한 사람의 발자국밖에 남지 않는다. 돌아보면 두 명분의 발자국이 끝없이 이어져 있다. 혼자가 아닌 두 사람이다. 그렇게 생각했다.

때때로 짐승의 울음소리 같은 소리가 들려서 물방울 모양 하늘을 올려다보면, 새라고는 생각할 수 없는 모습의 괴물이 날아간다.

언제였던가? 보라색을 한 초승달 모양의 유난히 커다란 물체가 떠 있었다. 발꿈치를 들고 손을 뻗으면 잡을 수 있을 것 같았다. 멍하니 바라보고 있다가 앨리스에게서 "보지 마"라고 주의를 들었다.

"파라노의 달은 직시하면 저주받는다."

"…달, 이구나. 저거."

"뭐라고 생각한 거야? 달님으로밖에 보이지 않잖아."

"생물인가 하고. …몽마, 라고 했던가?"

"몽마는 생물이 아니야. 그러니까 놈들에게는 에고가 없다."

앨리스가 하는 말은 솔직히 절반도 이해할 수 없었다. 질문하면 대답해주는 경우도 있고 무시하는 경우도 있다.

때때로 알 수 없게 된다. 앨리스는 정말로 있는 건가? 누군가와 함께 있는 것처럼 착각하고 있을 뿐, 나는 혼자인 것 아닐까?

아니, 그렇지 않아. 증거가 있다. 발자국이다. 분명히 두 사람분, 있다. 무엇보다도 앞을 보면 앨리스의 뒷모습이 보인다.

어쩌면 내 감각과 인식, 기억을 믿지 못하는 건지도 모른다.

왕관 같은 형태를 한 유리산은 어디까지고 한없이 유리였다. 산기슭은 완만하고 이윽고 경사가 급해진다. 아름답지만 눈에 익숙하게 되면 별것 없다. 유리의 산이다.

모래밭과 유리산의 경계는 하얀 모래와 작은 유리 자갈이 뒤섞여 있다. 유리 자갈은 모래만큼 가늘지 않고 밟은 감촉이 명백하게 다르다.

언제부터지? 핑크색 산호 비스무리한 식물 같은 것이 보이지 않는다. 모래밭 저편은 유백색으로 뿌옇다. 안개라기보다 구름 같다.

나는 정말로 걸어가고 있는 걸까? 어쩌면 어딘가에 누워 눈을 감고 있는 것 아닐까?

눈을 뜨면 다른 장소에 있다. 예를 들면 레슬리 캠프의 그 문 앞에.

혹은 나는 이미 아무 데도 없다.

그렇다면, 아무 데도 없는 건지도 모른다고 생각하고 있는 나는 어디에 있는 건가?

말도 안 된다. 이렇게 뭔가를 느끼기도 하고 생각하기도 할 수 있는 것은 나라는 사람이 존재하기 때문이다. 이것은 꿈 비슷한 것이 아니다. 왜냐하면, 꿈이라면 아무리 그래도 너무 길다. 이제 슬슬 깨어나지 않으면 이상하다.

쿠자크는… 시호루는… 메리는… 세토라는, 키이치는… 무사한 건가?

왜 동료들을 찾으러 가지 않는 거지?

아무래도 이상하다. 역시 꿈인지도 몰라. 내 사고, 행동에 논리성이나 일관성이 없는 것은 꿈이기 때문인가? 꿈이라면 이런 일이 있어도 이상할 것 없다. 어떤 일이든 있을 수 있는 것이다.

만약에 꿈이라면 언제부터? 어디서부터가 꿈인 건가?

어이, 마나토.

네가 죽어버린 것도 실은 꿈이라거나?

그렇다면 상당히 긴 꿈이다. 하지만 아무리 길고 복잡하고 정교한 꿈이라도 눈을 뜨자마자 순식간에 잊어버린다. 얼마 후면 거의 생각나지 않게 된다. 그런 꿈이었다, 라는 듯한… 이런 꿈이었다, 인가? …그런지도 몰라. …그러고 보니 그런 느낌이었던가?

이 꿈도 언젠가는 그렇게 빈 껍질 파편 같은 것밖에 남지 않고 사라져버린다.

"…배고프네. …목도 바짝 말랐어."

중얼거려봤다.

앨리스는, 못 들은 건가? 들을 마음이 없는 건가? 애초에 앨리스C는 있는 것 같지만 실은 없는 건지도. 돌아보지 않고 계속 걸어간다.

몇 번이나 멈춰 서려고 생각했다. 앉아서 쉬자. 쉬는 동안에 앨리스가 보이지 않게 되어버리면 그때에는 그때 가서 생각한다. 어차피 앨리스 같은 건 없다. 나 혼자다.

어째서 그렇게 생각하지 못하는 건가? 무서운 건가? 마음이 약해진 건가? 이제 아무래도 상관없지 않아? 내가 살아 있는지 아닌지조차 모르니까.

"저, 어디 가는 거야? 이봐. …이보라니까. 물어보잖아? 왜 대답해주지 않는 거야? …무시하지 마. 까불지 마. 도대체 뭐냐고? …내 입장도 생각해봐. 무엇보다, 왜… 어째서 이렇게. 자업자득… 인가? 그렇지도 않지. 항상, 이래. 매번, 매번 그래. …그렇게 생각하는 것뿐인가? 비슷한 일이 몇 번이나 있었던 것 같은. …그게 아닌가? …기억 같은 건, 믿을 수가 없으니까. 두세 살 먹은 유아도 아니니까. 철이 들기 전이었기 때문이라고 한다면 그나마 이해가 가지만. 그것도 아니고. …이상하잖아. 이상해. 여러 가지 일이 있었지만, 모든 게 다 이상해. …현실이라고는 생각할 수 없어. 그렇다는 건… 현실이 아니라는 거지. 요컨대. 꿈인 거야. 꿈이야. 처음부터. 마나토. 모구조. 란타. 시호루. 유메. 메리. 쿠자크. 세토라. 다들, 없는 거야. 실제로 존재하지 않는 거야. 내가… 내 머릿속에서… 꿈속에서, 뭐지? 만들어냈다? 상상 속의 인물이고. 사건도. 그림갈도, 다스크렐름도, 다룽갈도, 이 파라노인지 뭔지 하는 세계도. …나, 대단하네. 상상력이. 장난 아니야. …위험하네. …어라? 그렇다면, 나 자신은? 내가, 나라고 생각하는, 이 나도… 역시 상상인건가? 어딘가의 누군가가… 나와는 다른, 전혀 비슷하지도 않은, 인간조차 아닐지도 모르는, 생물인지 뭔지가… 내, 꿈을 꾸고 있다.

…그게 아니라고, 그렇지 않다고, 어떻게 하면 증명할 수 있는 거지? 못하는 것 아니야? 난감하네. …이 꿈, 언제 깨는 걸까? 그건가? …죽으면, 되는 건가? 죽어버리면, 깬다거나 하는 건가? 그런 설정으로 되어 있다거나? …마나토나 모구조나… 게다가, 초코나, 죽어버린 사람들, 모두 그런 건지도. 죽으면 꿈에서 깨어… 원래 세계로 돌아가는 거야. 하지만… 그것도 꿈인가? 왜냐하면, 이것은, 내… 내가 아닌, 누군가의 꿈이니까. 여러 사람의 꿈이 뒤죽박죽이 되어 있다는 것도, 이상해. …아무것도 없었던 거야. 아무런 의미도 없는 거야. 그냥 꿈, 이니까. …설령 죽어도, 똑같을지도. …분명, 이 꿈은 계속 이어지는 거야. 깰 때까지. …깨어나면, 잊어버리는 거야. 없었던 일이 된다. 제로야. …아아, 배가 고파. 목이 메말라서 아플 정도고. …괴로워."

마스크를 벗어서 버렸다. 마스크뿐만이 아니라 외투도, 옷도 전부 벗어버리고 싶다.

바람이 불고 있다. 달다. 단 공기다. 들이켤 수 있을 만큼 들이켰다가 사례들릴 뻔했다. 뭔가와 비슷하다. 그렇구나. 바닐라다. 바닐라 향과 비슷해. 들이켜고, 내뱉는다. 들이켠다. 들이켜고, 들이켜고, 한계까지 들이켠다. 엄청나게 달다. 눈 안쪽까지 달콤하다. 들이켜면 들이켤수록 오히려 괴로워진다. 그래도 멈추지 않는다.

"어이!"

갑자기 누가 멱살을 잡고 흔들었다. 앨리스다. 눈앞에 있다. 앨리스. 뭐가 앨리스C야?

"바람을 들이마시지 마! 또 잠들어 몽마를 만들어내고 싶은가!"

"…상관없어."

"꽤나 에고가 약해졌군. 그대로 있다가는 정신을 잃는다. 잠에 빠져 몽마를 만들어내는 것만으로는 끝나지 않아. 어둠에 떨어져 트릭스터가 되고 싶나?"

"…무슨, 말을 하는지, 모르겠어."

"내 친구도 한 명 어둠에 떨어졌다. 그렇게 되면 돌아올 수 없어. …적어도 나는 되돌릴 수 없어. 누이(縫)는…."

"…누이?"

"됐으니까!"

앨리스는 하루히로를 밀쳤다. 엉덩방아를 찧었다. 그러자마자 머릿속의 안개가 걷히고 폐에 들러붙어 있는 것 같은 맹렬한 달콤함에 구역질이 났다.

앨리스는 마스크를 주워 하루히로의 얼굴에 내던졌다.

"하고 있어. 나는 너를 어둠에 빠지게 하려고 구한 게 아니야."

하루히로는 마스크를 하려고 했다. 손이 떨려서 잘되지 않는다. 버벅거리고 있노라니 앨리스가 삽을 바닥에 꽂고 무릎을 꿇더니 하루히로의 손에서 마스크를 낚아챘다.

"잘 들어, 하루히로. 똑바로 자기 자신을 유지하라는 말이 있잖아. 파라노에서는 그게 아주 중요해."

앨리스가 마스크를 해준다. 하루히로는 꼼짝도 하지 않았다. 그보다, 왠지 긴장해서 움직일 수가 없었다.

"나는 누가 뭐라 하든, 어떻게 생각하든, 내가 나라는 것을 알고 있고, 무슨 일이 있어도 나는 나 이외의 그 무엇도 아니다. 이것이 에고다. 수치로 표현할 수 있는 것은 아니지만, 파라노에 있으면 에고가 강하다거나 약하다는 걸 느낄 수 있게 된다. 보이지는 않지만

맛이나 냄새처럼. 네가 너로 있고 싶다면 너여야만 해. 그러지 않으면 너는 네가 아닌 다른 것이 되어버린다. 이것은 비유가 아니야. 실제로 다른 존재가 되어버린다. 트릭스터라 불리는 것이."

"…나는, 그게… 될 뻔한 건가?"

앨리스는 일어서서 삽을 바닥에서 뽑았다.

"내버려두면 되지 않았을까?"

하루히로는 주위를 둘러보았다. 오른쪽에는 유리산이 솟아 있고 유리의 기슭과 하얀 모래밭이 섞여 있고 그 끝은 뿌옇다. 여전히 잠자코 보고 있으면 서서히 현실감이 희박해지는 것 같은, 아무래도 막연한 전망이다.

"어디로 가는 건지… 물어봐도 되나?"

"내가 사는 곳."

"집?"

"가보면 알아. 네가 무사히 도착한다면 말이지만."

앨리스는 퉁명스럽게 그렇게 말했다. 또 삽을 짊어지고 걷기 시작했다.

"…나는, 나로 있어야만 한다…."

중얼거리고 앨리스를 쫓아갔다.

나. …자신. …나다운 모습으로 있다. 그런 뜻인가? 나답다는 건?

나라는 건 뭐지?

거울이 있다면 얼굴을 보면 된다. 그것이 나다. 하지만 애석하게도 거울 같은 건 갖고 있지 않다. 뭐, 내 얼굴 같은 건 보고 싶지도 않지만. 원래 그렇게 찬찬히 보거나 하지 않았었고. 그러니까.

내 얼굴을 세부까지 정확하게 기억하고 있는가 하면, 애매하다. 만약 거울에 비친 얼굴이 미묘하게 변해 있다고 해도 깨닫지 못할지도 모른다.

그래도 유리 파편이 섞인 하얀 모래를 밟아 사각사각 소리를 내는 발은 틀림없이 내 것이다. 몸의 무게를 느낀다. 공복과 갈증도. 이 감각은 내 것이 틀림없다.

나는 여기에 있다는 뜻이다.

여기에 있는 것이 내가 아니라면 아무것도 느끼지 않을 테고.

뭐야, 간단하잖아.

나를, 혹은 나 이외를, 보거나, 듣거나, 냄새 맡거나, 뭔가를 느끼거나, 생각하거나, 사고하거나 하는, 그것이 나다. 내 모습이 다른 것으로, 예를 들어 인간과는 전혀 다른 것으로 변해버린다고 해도, 보거나, 듣거나, 냄새 맡거나, 뭔가 느끼거나, 마음먹거나, 생각한다거나 할 수 있다면, 그것은 나인 것이다.

앨리스가 삽을 어깨에 짊어지고 걸어간다. 조금 거리가 벌어졌다. 앨리스는 10미터 정도 앞에 있다. 걸음을 빨리하면서 오른쪽 손바닥으로 시선을 떨구었다.

"…어라?"

이런 손, 이었던가? 털이 북슬북슬하고, 희한하게 크고, 손톱이 길고, 날카롭다.

아니다.

"내 손이 아니야."

어쩌지? 라고 생각하기도 전에, 왼손으로 드워프 구멍산 불꽃 단검을 뽑았다. 그렇다, 잘라버려야 해. 왜냐하면 이 오른손은 내 것이 아니다. 이, 불꽃 단검으로… 단검을 쥔 왼손도 이상하다. 털북숭이잖아.

"젠장! 오보아바! 부게가고부다! 우데바가조! 웅데반바! 도가!"

누군가가 욕설을 내뱉고 있다. 내가 아니다. 왜냐하면 난 그런 목소리가 아니니까. 아니어야 마땅하다. 언어도 뭔가 다르잖다기가즈즈. 바다구도다오바다고도가가조바제고도가? 온토후레브레브토바곤다구조다부고, 오아타?

"…하루히로!"

"웅아카?!"

"봐! 나를 봐!"

"봐….."

봐.

봐.

본다.

앨리스가 있다.

이 두 손목을 잡고 있는 것은, 앨리스다.

눈동자 색, 엷다고 할까, 다소 붉다고는 생각했지만, 갈색 정도가 아니라 마치 동맥을 흐르는 피 같은 색을 하고 있다. 비옷의 후드가 미끄러져, 마침내 벗겨져버리고, 머리카락이 보였다. 머리카락 색은 밝다기보다는 연하다. 잘 보니 눈썹과 속눈썹도 마찬가지다. 피부도 단순하게 흰 편이라는 표현은 걸맞지 않다. 건너편이 비쳐 보일 것 같은 피부다.

"정신 차려." 앨리스가 말한다.

하루히로에게 말하고 있다.

고개를 끄덕이고 내 손을 보았다.

털북숭이도 아니고 크지도, 손톱이 길지도 않다. 내 손이다.

"…뭔, 가… 내가, 내가 아닌 것, 처럼…."

"메쿠라마시(주1) 짓인가?"

앨리스는 하루히로를 밀쳐내더니 바로 가까이에 찔러놓았던 삽을 뽑고 재빨리 고개를 돌렸다. 아무래도 하루히로의 왼쪽 비스듬히 뒤에 뭔가가 있고 앨리스는 그것을 발견한 모양이다.

펄쩍 뛰더니 삽을 휘두른다.

하얀 모래밭에 삽의 날을 내리꽂았다.

그 바로 직전까지 모래에서 커다란 물고기 같은 것이 얼굴을 내밀고 있었던 것 같은, 아닌 것 같은. 어느 쪽이든, 앨리스의 삽이 모래에 처박혔을 때에는 이미 그놈은 없었다. 간발의 차이로 모래 속으로 가라앉은 건가?

"…놓치지 않겠다!"

앨리스는 삽자루를 두 손으로 움켜쥐었다. 뭐? 어? 도대체 뭐야? 저건, 삽… 이 아니야? 적어도 그냥 녹슨 삽은 아닌 모양이다.

삽의 거무스름한 녹 같은 것은 껍질이고 그것이 저절로 벗겨진 것 같았다. 그 껍질이 갈라진 틈새로 안이 들여다보였다. 이런 표현은 적절하지 않을지도 모르지만, 붉은 살 생선으로 만든 봉이랄까. 껍질 쪽도 끝까지 다 벗겨진 것이 아니라 끝 부분이 붉은 살의 봉에 연결된 채로 수십 개, 아니, 그보다 더 많은 가느다란 띠 상태로 나뉘어 꿈틀꿈틀 움직인다. 인간의 손가락 크기의, 검정이나 흑갈색 뱀처럼 보이지 않는 것도 아니다. 그 일부는 앨리스에게 달라붙었다. 삽 자체에 감기면서 모래밭으로 점점 돌입하는 것도 있다.

주1) 메쿠라마시: 일본어로 눈속임, 환술이라는 뜻.

저 삽은 살아 있는 건가? 애초에 삽이 아닌가? 저런 삽이 있을 리가 없다. 그렇다면 도대체 뭔가? 다른 마땅한 이름이 떠오를 때까지는 일단 삽이라고 부르는 수밖에 없다.

갑자기 앨리스가 삽을 치켜 올리더니, 낚았다.

사냥감은 검은 뱀 같은 놈들에게 붙잡혀 모래 속에서 끌려 나와 밖으로 튀어나오게 된 건가?

그놈은 팔다리가 있고, 대충 인간형이고 사하긴과 좀 비슷하다. 희번덕거리는 눈에 입 부분이 특히 검다. 그리고 연한 핑크색을 한 온몸은 묘하게 미끈미끈하다. 방금 전까지 모래 속에 있었는데도 어째서인지 모래범벅이 아니다.

메쿠라마시의 짓, 이라고 앨리스는 말했다. 메쿠라마시. 그것이 이놈의 이름인가?

"뭔가 우파루파 같단 말이야."

앨리스가 그렇게 중얼거리자 메쿠라마시를 결박했던 검은 뱀 같은 놈들이 순식간에 슈슉 줄어들었다.

풀려난 메쿠라마시가 곧바로 벌떡 일어났다.

메쿠라마시는 앨리스에게서 몸을 돌려 도망치려고 한 것이겠지. 하지만 안타깝게도, 아니, 전혀 안타깝지 않지만, 메쿠라마시의 희망은 앨리스에 의해 끊겼다고나 할까, 메쿠라마시 자체가 끊겼다.

앨리스가 앞으로 나서며 삽을 내질렀다.

삽의 날은 등에서부터 메쿠라마시를 관통했다.

앨리스는 그 상태로 삽을 치켜 올렸다. 삽은 메쿠라마시의 가슴에서부터 정수리까지 너무나 간단히 베어버렸다.

피는 분출하지 않았다. 메쿠라마시의 상처에서는 오래 묵은 기름 같은 점액이 끈적하게 배어나왔다.

메쿠라마시는 앞으로 고꾸라졌다.

"간신히 해치웠다."

앨리스는 삽으로 메쿠라마시를, 푹, 푹, 푹 찌르고, 벗기고, 잘게 다지고, 해체하면서, 후후 하고 코웃음을 쳤다. 분명 메쿠라마시를 해치운 사실을 기뻐하는 것이겠지만, 그 참혹한 작업을 즐기고 있는 것 같기도 했다.

"이놈은 몽마(夢魔)가 아니야. 반마(半魔)다. 인간이 몽마에게 씌이면 이 메쿠라마시 같은 반마가 되어버려."

"씌, 이면…."

"대개의 몽마는 인간을 습격해서 먹기만 하지만. 가끔씩 있어. 유별난 놈이. 네가 만든 그 몽마는 어떨까? 참고로, 이드만 갖고 있는 몽마와 달리 반마에게는 에고도 있다. 양은 적지만. 죽이면 전부 독식할 수 있지. 반마는 레어템이니까, 귀중해."

앨리스는 어깨를 흔들며 웃고 있다.

문득 생각했다. 앨리스는 인간처럼 보이지만, 정말로 그럴까? 겉보기에 인간이라고 해서 인간이라는 법은 없다. 몽마인지 반마인지 모르지만, 뭔가 그런, 다른 것이 아닐까?

하루히로는 뒷걸음질을 쳤다. 앨리스를 신용하는 것은 위험하다. 그래도 앨리스는 도와주었다. 굳이 하루히로를, 자기 거처에 데리고 가려고 한다. 무엇 때문에? 그저 친절한 마음인가? 무슨 이유가, 다른 속셈이 있는 거라면?

함정일지도 몰라.

앨리스가 손을 멈췄다.

한순간 덤벼드는 것 아닐까 생각했다.

쓸데없는 걱정이었다. 앨리스는 후드가 벗겨진 것을 이제야 깨달은 모양이다. 다시 뒤집어쓰고 작업을 재개했다.

몇 시간인지, 한나절인지, 그 이상인지, 아무튼 꽤 긴 시간 동안 유리산 기슭과 하얀 모래밭의 경계선을 걸어가고 있는데도 눈치채지 못했다.

모래가, 아주 느릿하긴 하지만 흐르고 있다.

게다가 그 흐름은 한 방향으로 정해진 것이 아니다. 어떤 곳에서는 기슭을 향해서 모래가 이동한다. 한동안 걷다 보면 이번에는 모래가 이쪽으로 다가온다. 모래가 진행 방향으로 흐르면 순풍이 부는 것처럼 편하게 걸을 수 있을 때가 있다.

아주 잘 관찰해보면, 유리 조각으로 덮인 산기슭도 역시 움직이지 않는 것은 아니다. 귀를 기울이면, 치, 치, 치, 치… 하고 아주아주 작은 소리가 난다. 눈으로 보고 알아차릴 정도는 아니지만, 미묘하게 변동하는 것 같다.

"파라노의 지형은 변하기 쉽다. 변하지 않는 것은 없어. 그 무엇도."

앨리스C가 그렇게 말했다… 고 생각한다. 하지만 그 말을 언제 들었는지. 무슨 계기로 앨리스는 그런 말을 했던 건지. 생각해도 분명치 않다.

이윽고 유백색으로 탁한 하얀 모래밭 저 너머로 무슨 그림자가 보이기 시작했다. 숲일까? 그런 것치고는 윤곽이 직선적이다. 혹시나 건물인가? 한 개가 아니다. 여러 개의 건물이 빽빽하다. 거리인가?

"저것이, 너희…?"

물어보자 앨리스는 퉁명스럽게 "그래"라고만 대답했다.

"여기서부터 저기까지, 어느 정도?"

"그때그때 달라."

"어…."

"느끼는 방식은 제각각이니까."

파라노에서는 거리도, 시간도, 있으면서 없는 것과도 같다.

거리 쪽으로 가면서 앨리스가 말한 바에 따르면, 옛날… 언제인지는 모르지만, 아마도 '상당히 예전'에 시계를 만들려고 했던 적이 있다고 한다.

파라노의 하늘에는 달과 별은 있다. 그러나 태양은 없다. 해시계는 만들 수 없으니까 물시계로 했다. 정확한 시간은 몰라도 대충 일정한 속도로 시간을 표시해주는 것이 필요하다. 우선은 간소한 것을 만들어봤다. 용기 바닥에 작은 구멍을 뚫는다. 안쪽에는 눈금을 새긴다. 용기를 물로 채우면 바닥의 구멍으로 조금씩 흘러나간다. 물의 유출량이 일정하면 시간을 측정할 수가 있을 것이다.

하지만 실제로 해보니 여러 가지 문제점이 잇달아 부상했다. 예를 들면, 용기다. 커다란 용기를 발견해도 입구부터 바닥을 향해서 경사가 져 있거나 하면 상태가 나쁘다. 용기 안의 물의 양이 줄어들 때마다 구멍으로 나오는 물살이 약해지는 것을 깨달았다. 연구해서 문제를 해결해도, 그러면 또 다른 문제가 생겨나기도 한다. 시행착오를 거듭하는 동안에 물시계는 탑처럼 커졌다. 그렇게 되니 사용하는 물의 양도 상당했다. 마침내 진저리가 나서 고생해서 만든 물시계를 산산이 부숴버렸다고 한다.

듣고 있는 동안에 수상하게 느껴졌다. 그것은 정말로 있었던 일일까? 지어낸 이야기는 아닐까?

무엇보다도 앨리스가 장광설을 푼다는 건 그답지 않다. 말하고 있는 것은 앨리스인가? 아니면 다른 뭔가가 아닐까?

아니다. 앨리스는 말이 많다. 그런 느낌도 든다. 무엇보다, 앨리스를 잘 알고 있는 것도 아니다. 거의 아무것도 모른다고 해도 될 정도다. 그런데도 그답지 않다고 생각하는 나는 정상이 아니다.

정말, 정상이 아니다.

이것도 저것도 다.

나 자신도.

거리에 가까이 갈수록 안개는 걷혔다. 모래밭이 아니다. 바닥이 흙이다. 언제부터지? 전혀 알아차리지 못했다. 풀과 나무가 자라 있다. 나무 표면은 갈색이고, 이파리는 녹색이다. 이것은 정상적인 식물인가 싶었는데, 밟자마자 부서져버려 눈 깜짝할 사이에 흔적도 없이 사라진다. 마치 환각 같다. 어쩌면 전부 다 환상인가?

건물은 상당히 높다. 그러면서 거대한 돌기둥이다. 그 표면에는 네모난 구멍이 규칙적으로 나란히 있다. 창문이겠지만, 유리문은 고사하고 판자문도 끼워져 있지 않아서 무슨 둥지처럼 보이기도 한다. 예전에는 모든 건물이 똑바로 서 있었음에 틀림없다. 지금은 쓰러진 것과 기울어진 것도 있다.

멍하니 건물을 올려다보고 있던 탓인지 앨리스의 뒷모습이 멀어졌다. 발걸음을 빨리해서 쫓아갔다.

"저기, 여기는?"

"폐허 6호. 그렇게 불리게 되기 전에는 아소카라는 거리였다고 해."

"아소카…."

"나도 다른 사람을 통해 전해들은 거지만."

"사람… 이라니, 있는 거야? 그러니까… 너, 말고도."

"정상적인 놈은 없어."

앨리스는 그렇게 말하고 약간 웃었다. 그 직후였다.

"그것은 너도 포함해서 그렇다는 거지? 공주님."

쉬고 까칠한 남자 목소리였다. 앨리스가 아니다.

고개를 돌려 위를 보니 왼쪽 건물의 아마도 3층 창문에서 누군가가 몸을 내밀고 있었다. 목 칼라에 털이 달린 모스그린의 외투를 입고 부츠를 신었다. 보기에는 인간 남자. 다소 긴 검은 머리는 곱슬곱슬하고 짧은 수염을 길렀다.

"…아히르."

앨리스는 남자를 노려보더니 어깨에 걸치고 있던 삽을 내렸다. 메쿠라마시를 잡아 죽였을 때처럼 당장이라도 벗겨질 것 같다.

남자는 고개를 옆으로 기울이고 히죽 웃었다.

"무서운 얼굴 하지 마, 공주님."

"그럼, 나를 그렇게 부르지 마."

"하지만 너는 실제로 공주님이잖아."

"죽고 싶은가? 아히르."

"죽고 싶지 않으니까 나는 너와 진짜로 싸우거나 하지 않아."

"내 주변을 얼쩡거리지 마."

"그럼 왕 곁으로 돌아가줘. 그러면 나는 네 앞에는 두 번 다시 나타나지 않는다. 맹세하지."

"돌아갈 리가 없잖아."

"왕은 화가 났어. 돌아가주지 않으면 곤란하다고."

"나하고는 상관없어."

"나하고는, 있어."

"'황제와 나이팅게일'(주2)인가?"

앨리스가 그 말을 입에 올린 순간, 아히르의 오른쪽 다리가 떨리기 시작했다. 리듬을 타는 것처럼 무릎이 오르락내리락한다. 희미한 웃음을 띠고 있지만 속으로는 동요하고 있거나 혹은 화가 난 건지도 모른다.

앨리스는 삽의 날로 두 번, 세 번 바닥을 찔렀다.

"갸륵하네, 아히르."

바람이 분다. 마스크를 했어도 약간 달다.

아히르는 외투 자락을 입에 대고 "그 녀석"이라며 하루히로를 보았다.

"신참이지? 어떻게 할 셈이야? 공주님. 삶아먹을 건가? 구워먹을 건가?"

"나는 몽마가 아니다. 인간 같은 걸 어떻게 먹어."

"인간을 먹으면 간단하게 에고를 빼앗아 높일 수 있다. 공주님도 좀 더 강해지고 싶지? 그럼 그 녀석을 먹어."

"닥쳐, 아히르. 진짜 죽인다."

"다시 오겠소, 공주님."

아히르는 그 말을 남기고 창문 안쪽으로 사라졌다. 건물에는 창문 말고도 출입구가 있다. 앨리스는 아히르가 아직 안에 있을 것으로 보이는 건물 출입구로 가려고 했으나, 곧바로 발길을 멈추고 뭔가 의아하다는 듯이 고개를 갸웃거렸다. 하루히로도 이변을 느끼고

주2) 황제와 나이팅게일: 안데르센 동화.

있었다. 소리, 라기보다, 진동인가? 바닥이 흔들리고 있다.

하루히로는 돌아보았다. 아히르가 있는 건물의 맞은편에도 건물이 있다. 손상이 심해서 여기저기에 거미줄처럼 금이 갔고 아주 약간 이쪽으로 기울어져 있는 것처럼 보이기도 했다.

잠시 후. 우두둑, 딱딱한 물건이 부러지는 것 같은 소리와 삐걱거리는 소리, 땅울림 같은 무시무시한 중저음이 들리기 시작했다. 어쩌면… 바닥이 아니야?

흔들리는 것은, 저 건물인가?

"뛰어!"

앨리스는 외치기 전에 이미 뛰기 시작했다. 하루히로도 뛰었다.

뒤에서 건물이 순식간에 붕괴했다. 돌아보고 확인하지는 않았다. 소리도, 충격도, 분진도 엄청나서 굳이 확인할 필요도 없다. 여유도 없었다. 저 건물뿐만이 아니다. 이 폐허 6호인지 하는 장소에는 수십 개, 어쩌면 그 이상의 건물이 있다. 이 앞도 건물투성이다. 앨리스와 하루히로는 건물과 건물 사이의 길을 가고 있다. 그 전부는 아닌지도 모르지만, 여기저기에서 건물이 무너지고 있다.

"젠장, 아히르 놈…!"

앨리스는 직진하지 않고 오른쪽으로, 왼쪽으로 꺾어진다. 뭔가 생각이 있어서 그런다기보다는 위험한 건물을 볼 때마다 방향을 전환하는 것 같다.

"앨리스…!"

"시끄러워, 잠자코 따라와!"

물론 그러는 수밖에 다른 방법은 없다. 하루히로는 이곳 지리를 전혀 모른다. 왔던 길로 되돌아가면 폐허 6호에서 나갈 수는 있겠지만, 그 길은 처음에 무너진 건물의 파편이 막아버렸을 것이다. 어느 쪽으로 가는 것이 정답인지 하루히로는 짐작도 할 수 없다.

하지만 오른쪽으로 꺾어든 순간 그 앞의 건물이 액체처럼 무너져 내려 발길을 돌리기도 하고, 좌회전을 해서 한동안 가니 좌우의 건물이 동시에 무너져 머리 위에서 충돌해서 쏟아지는 파편 속에서 필사적으로 전력 질주를 하기도 하는 동안, 과연 제정신이 아니라고나 할까, 정신을 유지하는 것이 힘들어졌다. 문득 생각했는데, 이런 심리 상태는 좋지 않다. 땀투성이인데도 온몸이 희한하게 차갑고 위장이 입으로 튀어나올 것 같다. 아무튼 여기에서, 이 상황에서 도망치고 싶다. 언제까지 계속되는 거야? 그만해줘. 빨리 끝났으면 좋겠다. 아무리 그렇게 바란다고 해도 현실은 내 사정 같은 건 완전 무시다. 끝나지 않을 때는 끝나지 않는다.

단, 이 파라노에서는 어떨까?

너무나 끝나길 바란다면, 방법은 있다.

지금 당장이라도 끝내버리는 방법이.

말하자면, 비상구다.

어떻게도 할 수 없게 되었다면, 거기에서 나가버리면 된다.

하루히로에게는 그 비상구가 보인다. 아니, 보이지는 않는다. 그저 느끼는 것이다.

그것은 언제나 자기 바로 뒤에서 입을 벌리고 있다. 보다 정확히 말한다면, 뒤통수 바로 뒤라고 표현해야 할지도 모른다. 그러니까 고개를 돌려 돌아봐도 그것은 역시 자기 뒤에 있다. 직시할 수는 없지만, 분명히 있는 것이다.

비상구가 하루히로에게 속삭였다.

…이리 와.

이쪽으로, 와.

참는 건, 하지 않아도 돼. 몸에 안 좋아.

뒷일은, 나한테 맡기고….

…그렇게 해버릴까?

나를 넘겨주기만 하면 되는 거니까.

그러면, 무서운 일로부터, 귀찮은 일로부터도, 해방된다.

아니야.

알고 있다.

비상구가 말을 하거나 하지는 않는다. 애초에 뭐야? 비상구라니.
머리 뒤의 비상구로 나간다니. 불가능하다. 있을 수 없는 일이야.
하지만 파라노에서는 그 있을 수 없는 일이 일어난다. 게다가, 뭐랄
까, 이것은, 그렇다, 긴급 피난이다. 어쩔 수 없지 않아?

하루히로는 멈춰 섰다.

지쳤고.

이제 움직이고 싶지 않고.

…잘했다고 생각해.

그런가?

…응, 나는 잘했어.

그런지도.

…슬슬, 됐지 않아?

"응…."

다리를 약간 벌리고 힘껏 발돋움을 했다. 머리 위를 올려다보는 자세가 되었다.

인간의 몇십 배나 될 것 같은, 거대한 파편이 떨어진다.

"오오, 굉장해."

웃음이 치밀었다. 직격 코스다. 이게 웃지 않을 수 있는 일인가? 눈을 감을지 말지 망설였다. 아까우니까 끝까지 보고 있자. 손을 뻗어, 이제 금방이었는데. 조금만 더 있으면 손에 파편이 닿을 뻔했다.

"타아앗…!"

앨리스가 뛰어 돌아와서 쓸데없는 짓을 했다. 이쪽으로 향한 삽이 벗겨지더니, 거무스름한 띠 상태의 껍질들이 일제히 파편을 꿰뚫고 산산이 박살을 내버린 것이다.

파편 조각이 우박처럼 쏟아져 내린다. 그중에는 주먹 크기만 한 것도 있었으니까 당연히 몸이 성치는 못할 것이다.

"아얏, 아야얏…."

대물이 왼쪽 어깨와 오른팔, 그리고 머리에 부딪친 것은 기억한다. 그 탓에 쓰러진 건지, 드러누워서 끙… 끙… 신음하고 있다가 억지로 잡아끌려 일어났다.

"뭐하는 거야? 이봐!"

앨리스.

또 앨리스다.

"…왜 내버려두지 않는 거야!"

울먹이면서 항의해놓고서는 꼬일 것 같은 다리를 움직이며 나는 왜 뛰고 있는 것인가? 뛰어봤자 소용없잖아. 사방팔방에서 건물이 무너지는 소리가 밀어닥친다. 흙먼지 때문에 시야가 엄청나게 좁다. 온몸이 다 아프고. 생각하지 않아도 안다. 이것은 끝난 거다. 극복할 수 없다. 그러니까 말이야. 그래서 긴급 피난이야. 무엇이든 끝은 있다. 언젠가는 끝나는 거다. 왜 그게 지금이면 안 돼?

이제 됐다고.

분하기는 하다. 하지만 미련은 없다.

"…최악이네, 아히르 놈. 잘도! 하루히로, 이리 와…!"

팔을 잡혀 끌려갔다.

저항해봤자 의미가 없으니까 순순히 끌려갔다.

어떤 일도 의미는 없다.

무슨 일이 일어나는 거지? 그리 흥미는 없지만. 앨리스는 하루히로를 옆에 끼고, 그 삽이 또 벗겨지더니, 몇 개나 되는, 엄청 많은 검은 띠 상태의 껍질이 모여 거대한 우산처럼 되고, 그것이 순식간에 바닥까지 도달해서 앨리스와 하루히로를 푹 덮어버렸다. 우산 바깥쪽은 어떻게 되었을까? 대충 상상은 된다. 아마도 주위의 건물이 전부 무너져 파편이 탁류가 되어 소용돌이치고 있을 것이다. 두 사람은 우산의 보호를 받으며 그 한복판에 있는 것이겠지.

어둡다. 거의 캄캄하다. 그래도 희미하게 보인다. 삽이다. 벗겨진 삽이 흐릿하고 빨갛게 깜박거리고 있다. 덕분에 아주 약간 밝아졌다.

앨리스는 몸을 낮추고서 껍질이 벗겨진 삽자루를 꽉 쥐고 하루히로를 끌어안고 있다. 마치 그거 같네. 작은 1인용 텐트 안에서 서로 몸을 기대고 있는 것 같은. 그런 느낌? 바깥은 폭풍우다. 그것도 웬만한 폭풍우가 아니다. 바람과 비는 아니니까 당연한가? 두두두두두우르르. 우르르두두두두. 와르르르르. 두두두두고고고고우르르르와르르르르. 무시무시한 소리가 난다. 삽 우산은 바깥쪽에서부터 엄청난 압력이 가해지고 있을 것이다. 그런 것치고는 조금도 흔들리지 않는 게 참으로 묘하지만, 그래도 위협을 느낀다. 끝나도 된다고 생각했던 주제에.

"…버틸까? 이거."

"괜찮아. 내가 누군 줄 알아?"

앨리스는 허세를 부리는 걸까? 그렇게는 보이지 않는다. "…모르겠다"는 말이 하루히로의 입에서 흘러나왔다.

"…솔직히, 네 정체가 뭔지."

앨리스는 웃고, 그렇겠지, 라고 말했다.

"무엇보다, 너는 네가 누구인지도 모르잖아."

"…그렇, 지는."

"그래. 하루히로. 너를 먹지 않겠냐고 망할 아히르 놈이 말했지만. 나는 사람을 먹지 않아. 왜냐하면, 사람이 사람을 먹는 건 기분 나쁘잖아. 단지, 만약 먹는다고 해도 너는 사양한다. 너 같은 걸 먹어봤자 아무런 도움도 되지 않아. 너는 에고가 약하니까. 지금보다 더 내 마법을 강하게 하기 위해서는 강한 이드나 강한 에고가 필요해."

"…마법? 너는… 마법사?"

"파라노에서는 누구나 마법을 쓸 수 있어. 자기만의 마법을. 내 마법은, 이것."

앨리스는 벗겨진 삽을 꼭 쥐면서 "필리아야"라고 말했다. 무슨 말인지 전혀 모르겠다. 삽이 마법이라니. 그보다 편의상 삽이라고 부르는 것뿐이지 분명히 삽은 아니고. 도대체 뭐야? 그거. 필리아인지 뭔지 모르지만. 벗겨진 상태의 모양은 엄청 징그럽고. 에고가 약해? 왠지 그런 말을 들으니, 하긴 그런지도… 라는 마음은 들지만. 그래서 뭐? 그게 잘못이야?

전부 꿈이다. 나쁜 꿈을 꾸고 있어. 계속 그런 느낌이 들고, 그렇게 생각하고 싶다.

하지만 분명 꿈이 아니겠지.

최악이다.

너무해.

너무 지독한 상황이다.

구체적으로 뭐가 어떻게 지독한 건지. 생각할 수 없다. 생각하고 싶지 않아.

나만 살아남은 것 아닐까? 라고는, 생각하지 않으려고 한다.

가급적 생각하지 않도록 했었는데. 생각하지 않는 게 좋아. 왜냐하면, 그 일을 생각하면, 떨어져버려. 한없이, 어디까지고. 눈 깜짝할 사이에. …봐.

여기는, 바닥이다.

내가 아직 숨을 쉬고 있는 게 신기할 정도로, 깊은, 엄청나게 깊은 구멍, 밑바닥.

나락의 밑바닥이다.

"하루히로."

"…뭐야?"

"혹시 우는 거야?"

"…안 울어."

"괜찮아."

앨리스는 하루히로의 등을 가볍게 두드렸다. 마치 어린아이를 어르는 것 같은 손길이다. 사람을 뭘로 보는 거야? 그런데도 불쾌하지 않다니. 나 자신이 이해가 안 간다.

앨리스는 옳은 건지도 몰라.

다른 누구도 아닌, 나 자신인데도, 전혀 모른다.

"울어도 돼. 상관없어. 하지만 눈물 속에 빠져버리면 안 돼. 너는 왜 우는 거지? 영문도 모르고 우는 거라면 그건 좋지 않아. 생각하는 게 아니라, 자기 자신을 바라보는 거야. 눈을 피하지 말고, 보고 싶지 않은 거라도 똑똑히 봐야 해."

"나는."

"너는?"

"나는….."

두 손으로 얼굴을 가렸다. 아아, 이것이.

이것이, 내 얼굴이다. 두 손으로 가린 얼굴.

얼굴이 보이지 않아.

"…없어. 내가. 없어. 나 자신이… 아무 데도 없어. 아무것도 없어. …나한테는, 아무것도….."

"분명히 있어. 하루히로. 너는 여기에 있어. 내 옆에."

"하지만, 나는….."

"조금씩이라도 괜찮아. 네 소중한 것은 무엇?"

"소중한…."

쿠자크.

시호루. 유메.

메리.

세토라도, 마음에 걸린다. 세토라와 키이치는 함께 있을까?

…란타.
젠장. 바보 란타. 네가 없으면… 왠지, 할 맛이 안 나잖아.

"…싫어. 모두가, 나를…."

모두가 필요로 해주니까, 나는.
너희가 있으니까.
나는, 너희가 있어서.
너희가.
"…무서운 거야."
너희가 없으면, 나는.

"불안해서… 견딜 수 없어. …동료가, 없어져서, 무사한지 어떤지… 무사하다고 믿고 싶지만… 믿을 수가 없어서. 전혀, 그렇게 생각되지 않아서. …틀렸는지도 몰라. 이번에는. …이번만큼은. …말도 안 돼. 나는 이제… 혼자, 인 건가?"

"내가 있잖아."

"…그런가. …네가 있어. 너는… 상냥한 건지, 잔혹한 건지, 모르겠어."

"나는 말이지, 때때로 상냥하고, 때로는 잔혹해."

어느새 바깥이 조용해졌다.

안은 좁고 답답하지만, 따뜻하다.

앨리스C는 어떤 사람인가?

…나에게는 다른 이름이 있는데. 부모님이 지어준 이름이.

하지만 계속 앨리스라고 불렸어.

나는 괴롭힘을 당했었어. 왕따 캐릭터라는 수준이 아니야. 말 그대로 왕따였다. 앨리스라고 불리게 된 것은 읽은 책 탓이야. 탓…이라고 말하면 책한테 미안한가? 책한테는 죄가 없고. 하지만 앨리스라 불리는 것은 몹시 싫었어.

"앨리스."

"나는 앨리스가 아니야."

"앨… 리스."

"나는 앨리스가 아니야."

"앨… 리… 스…."

"나는 앨리스가 아니라고 말했잖아."

"앨리스…."

"끈질기네. 이제 됐어. 마음대로 해."

"됐대. 앨리스."

"앨… 리스."

"앨… 리… 스…."

"앨리스."

"앨리스…."

"앨리스."

분명히 그런 느낌으로, 내가 인정한 것처럼 되어서, 너나할 것 없이, 나를, 앨리스, 앨리스, 앨리스, 앨리스, 앨리스, 앨리스, 앨리

스, 앨리스, 앨리스라고.

내 물건을 숨기기도 했지. 망가뜨린 적도 있었고. 소지품에 낙서를 하기도 하고 여러 가지 물건을 집어던지기도.

그러고는, 이거, 분명히 기억하는데, '사과해 게임'이라는 게 있었어. 공원 같은데서 여러 명한테 둘러싸여서, 이쪽은 움직일 수가 없으니까, 비켜, 라거나, 지나가게 해줘, 라고 말하잖아. 상대는 물론 비켜주지 않아. 그래서 열을 받아서 밀치려고 하잖아. 그랬더니 상대방이 오버하며 넘어지고, 아프다는 둥, 뼈가 부러졌다는 둥, 피가 난다는 둥, 어이도 없는 말을 하고. 사과해, 사과해… 라고 다그치는 거야. 사과할 때까지 용서해주지 않아. 그보다 사과해도 용서해주지 않지만. 좀 더 진심을 담아서 사과하라거나, 정말로 사과할 마음이 있다면 이렇게 저렇게 하라거나, 몸서리가 처질 만큼 요구하는 거야. 상대는 여러 명이고. 고함도 지르고. 시키는 대로 하는 수밖에 없잖아.

무슨 일을 당했는지는 상상에 맡기겠지만.

뭐, 생각해보면 속이 뒤집어지는 정도가 아니라 내 머리를 깨버리고 싶어지는 일도 당했었지.

찍어 누르고 강제로 무슨 짓을 한 게 아니라는 게 포인트야. 강요당한 건 틀림없지만, 결국 한 사람은 나니까. 상대방은 당연히 밉지. 하지만 순순히 따른 내 탓도 있다는 거지. 결국 내가 약해서 저항하지 못한 게 잘못 아니냐고. 정말 싫었다면 혀라도 물어뜯으면 됐을 거야. 그런데, 죽기 살기로 상대방을 물어뜯을 수도 있었을 텐데, 왜 그러지 않았냐고.

앨리스라는 이름은 나한테는 상처야.

언제까지고 생생하고 커다란, 지울 수가 없는, 흉터가 아니라 상
처인 거야.

나는 내가 싫어서 견딜 수 없었어. 내 모든 것이 다 싫어서, 내가
이런 나라는 사실을 무엇보다도 용서할 수 없었어.

그렇게 생각했어.

저주한 거야.

세상 전부를.

파라노에 오고 나서부터일까?

모든 것이 저주스러웠던 나에게도 사랑스러운 것과 소중한 것이
있었다는 사실을 깨달은 것은.

예를 들어 나는 내 얼굴도, 몸도 너무나 끔찍하다고 생각했지만,
그런 것치고는 거울을 자주 봤었어. 꽤 찬찬히. 실은, 아, 이 각도의
얼굴은 나쁘지 않네, 라거나, 지금 이 표정, 꽤 괜찮을지도, 라고 거
울을 보고 생각하기도 했어. 너 뭐야? 거울 보고 있냐? 라고 누군가
가 말하면, 아니, 안 봤다니까… 그 당시에는 부정했겠지만. 지금에
와서 생각해보면, 봤어. 내 용모는 특이하지만 못생기지 않았고. 못
생긴 건 잘못이 아니지만. 이중 턱이나 동그란 코나 너무 두툼한 입
술이나 볼록한 배나, 말하자면 못생긴 부분도 보기에 따라서는 귀
엽기도 하고.

나는 나를 싫어했지만 좋아하는 부분도 있었던 거야.

그보다는 괴롭힘을 당하는 동안에 나한테 원인이 있다고 생각하
게 되어서 그런 내가 싫어진 거지. 말하자면, 나는 나를 싫어하도
록, 증오하도록 강요당한 거야. 나는 내 전부가 싫은 게 아니야. 마
음에 안 드는 부분도 그야 있긴 있지만, 견딜 수 없이 사랑스러운

부분도 있어.

그리고 나는 깨달았다.

앨리스, 앨리스… 라고 불리며 조롱당하는 것은 참을 수 없다. 하지만 앨리스라는 이름은 싫지 않아.

오히려 부모님이 지어준 이름보다 앨리스가 훨씬 나한테 어울리는 것 같아.

나는 상냥한 건가? 잔혹한 건가? 답은 양쪽 다야.

나에게 심한 짓을 한 놈들도 온종일 항상 못된 건 아니야. 놈들도 죽어가는 가련한 길고양이를 보고 가슴 아파하기도 하고, 부모형제나 친구가 곤란할 때에는 도와주기도 한다. 사과해 게임에 참가했어도, 속으로는 우와, 너무하네, 이렇게까지 할 건 없는데, 라고 생각하기도 한 놈도 있을 테고. 양심의 가책을 견디지 못해 나한테 몰래 편지를 준 사람도 한 명 있었어. 우편함에 들어 있었어. 발신인은 적혀 있지 않았지만 정중한 손편지였어.

나도 제일 심하게 괴롭힘을 당하던 무렵에는 종종 무자비한 짓을 했다. 벌레를 잡아서 날개와 다리를 뜯어내는 거야. 그래서 벌레가 필사적으로 몸부림치는 모습을 보고 있으면 후련해졌어. 마지막에는 슬슬 편하게 해줄게, 라고 중얼거리고, 그 녀석을 죽인다. 좀 더 큰 생물한테 똑같은 짓을 하려고 생각한 적도 있어. 하지 않았지만. 불쌍하다고 생각해서가 아니야. 그저 귀찮아질 것 같아서 하지 않았다. 간단히 할 수 있었다면 하지 않았을까? 어쩌면 그게 점점 고조되어 언젠가 제대로 연쇄 살인마가 되었을지도.

물론, 오랜 기간 심한 괴롭힘을 당하거나 하지 않았다면 나는 그런 짓은 생각도 하지 못했을 거야. 그렇다고 해서 내가 잔혹한 인간이 아니라고는 말할 수 없어.

예를 들어 어떤 밀실에 나를 포함한 여러 명이 갇혀 있고, 살아서 밖으로 나갈 수 있는 것은 한 명뿐이라는 게임이 있다고 쳐볼까.

너라면 어떻게 할래?

상대를 죽이고 내가 살아남을까?

아니면, 살인은 좋지 않으니까 상대방에게 살해당할래?

자살할래?

상황이 너무 극단적이라서 그때의 행동으로 네 인간성을 판단하는 것은 부당하다는 의견에는 분명히 일리가 있어.

하지만 어떤 일도 일어날 수 있는 거야. 절대로 있을 수 없는 상황이란 건 없어. 너도 파라노에 있으니까 알지?

네가 어디에서 어떻게 해서 파라노에 왔는지는 모르지만, 나는 말이지, 임해학교에 가 있던 중이었어. 해안 절벽에 동굴이 있어서, 그곳을 탐험하자는 이야기가 나와서. 그 무렵의 나는 왕따를 당했던 경험을 통해 배운 대처법을 실천하기도 했고 또 몇 가지 우연이 겹쳐서 비교적 잘해나가고 있었어. 조금이라도 실패하면 또 옛날로 돌아갈 거라는 느낌은 있었지만. 친구도 몇 명 있었고, 그중 한 명이 제안해서 거절할 이유도 딱히 없었으니까.

캄캄한 동굴 속에 들어가서 안쪽으로, 안쪽으로 우리는 걸어갔어.

도중부터 가스가 차 있었다고나 할까. 시야가 흐려져서, 위험한지도 모른다고 느꼈던 것은 기억나. 하지만 어느새 여기에 있었다. 그렇게밖에는 말할 수가 없어.

나는 실수로 파라노에 흘러들어온 거야.

예측할 수 없는 사태지. 그런 황당한 일도 일어나기도 하는 거니까.

피치 못할 사정으로 사람을 죽여버린 놈은 요컨대 사람을 죽일 수 있는 놈이었던 거야. 어쩌다가 그런 기회가 오지만 않으면 사람을 죽이지 않고 일생을 마칠지도 모르지만.

나는, 죽일 수 있어.

그럴 필요가 있다면, 사람이든 뭐든, 나는 내 손으로 죽인다. 후회는 하지 않아. 왜냐하면 그것은 필요하니까.

하지만 나에게도 인정은 있어.

그때에는 별이 떨어져서. 경험상 파라노에 누군가가 온다고 생각했으니까 확인하러 갔던 거야. 그래서 너를 발견했어. 내버려둘 수가 없어서, 너를 구했다.

너는 내 친구도, 아무것도 아니고, 너 개인이 어떻다는 생각은 일절 없지만. 파라노에는 제대로 된 놈이 없으니까, 문득 그리워지는 거야. 딱 너 같은, 다른 사람만 걱정하고 자기 자신은 텅 비어 있고, 남의 눈에 비치는 자기 모습이 자기가 되어버린, 거울 인간 같은, 얄팍하고, 정상적인 놈과, 너무나 이야기하고 싶어져서.

뭐, 그것뿐이지만.

목적은 이미 달성했으니까 비교적 후련해졌어.

나는 너를 간단히 버릴지도 몰라. 단, 말한 대로 나는 때때로 상냥해. 이렇게 남한테 상냥하게 굴면 기분이 좋으니까. 하지만 그러다가 귀찮아질지도. 혹은 갑자기 마음이 변해서 너를 먹고 싶어진다거나. 지금으로서는 예정에 없지만, 너를 무슨 일에 이용할지도. 너를 속일지도. 그때에는 그렇게 말할게.

속이려는 상대한테 이제부터 너를 속인다고 말하면 속일 수 없지 않겠냐고?

바보네. 그런 경우엔 속인 뒤에 말해야지. 당연히.

그런데, 너는 어떻게 하고 싶어?

내가 어떻게 해주길 바라지?

얼마나 오랫동안 파묻혀 있었던 걸까? 생각해봤자 소용없다. 파라노에서는 시간이 의미를 갖지 못한다. 분명 기계 시계를 갖고 있었다고 해도 바늘이 정지해 있거나, 움직이거나, 오른쪽으로 돌거나, 왼쪽으로 돌거나 해서 쓸모가 없지 않을까?

앨리스C가 마법의 삽으로 지상으로 통하는 길을 만들어줘서 탈출은 어렵지 않았다.

밖으로 나오자 폐허 6호는 파편의 바다로 변한 상태였다. 남아 있는 건물은 극소수, 정확히 말하면 여섯 채지만, 그것들도 반파당했거나 거의 파편에 묻혀 있었다.

"내 은신처도 망가졌네. 아히르 놈. 다음에 만나면 죽인다."

"이걸 전부 아히르가?"

"말했잖아. 파라노에서는 누구나 마법을 쓸 수 있어. 아히르의 마법은 나와 같은 타입이야."

"…필리아? 라고 하는?"

"맞아."

앨리스는 눈을 가늘게 뜨고 웃었다. 아직 마스크를 벗은 얼굴을 본 적이 없다. 앨리스는 어떤 얼굴일까?

"파라노의 마법에는 크게 나누어 세 종류가 있어. …아니, 네 종류인가? 하지만 네 번째는 본 적이 없고. 필리아와 나르시와 도펠. 마법은 대개 이 세 종류 중 하나야."

필리아는 사랑. 사랑은 주술이며 어떤 특정한 물체, 자주 쓰는 일용품이나 몸을 지키는 무기 등에 힘이 깃든다. 이것을 주물 혹은 페티시라 한다고 한다.

"필리아의 원천은 페티시야."

앨리스는 그렇게 말하고 삽을 들어 올려 보였다. 주물이 소유자를 강하게 하고 마법을 부여해준다. 주물을 처분해버리면 소유자는 약해지고 마법을 쓸 수가 없다.

"나는 이 녀석으로 몽마를 죽였다. 맨손으로 동굴을 탐험하는 건 좀 아닌 것 같아서 도구 정도는 있는 게 좋을까 싶었지. 내가 들고 있던 거야. 우연이 아니야. 나도 어째서인지는 모르지만, 들고 싶었으니까 내가 들겠다고 말해서, 들고 있었어. 무슨 예감 같은 것이 있었던 건가? 결과적으로 나는 그래서 살아남았으니까."

"그리고… 그 삽이, 페티시가 되었다?"

"하루히로, 너는 나이프인지 뭔지를 갖고 있지? 어쩌면 그게 네 페티시가 될지도, 안 될지도. 참고로 아히르의 페티시는 벨트야. 허리에 차는 것."

"벨트 같은 걸로 어떻게 저 정도 건물을…."

"글쎄. 열심히 한 채씩 꾸준히 손본 게 아닐까?"

"엄청나게 시간이 걸릴 것 같은데."

"걸리든 말든 여기에서는 마찬가지니까. 할지 말지 문제는 그뿐이야. 아히르는 했지. 그 녀석은 나보다 약하지만, 목적이 있고 포기하지 않아. 나한테는 이길 수 없으니까 심술을 부려서 왕 곁으로 불러내려는 거야."

"왕이라니?"

무시당했다. 앨리스는 대답하고 싶지 않은 질문에는 대답하지 않는다.

파편의 바다에는 평평한 장소가 거의 없어서, 올라가기도 하고 내려가기도 하고 점프하기도 하고 돌아가기도 하면서, 그러기를 반복하면서 조금씩 나아가는 수밖에 없다.

초반에는 앨리스가 앞서 가고 하루히로는 잠자코 그 뒤를 따라갔었다.

하지만 앨리스는 점점 자주 멈춰 서서 한숨을 내쉬기도 하고, 무턱대고 삽을 휘두르게 되었다. 상당히 짜증이 난 모양이고 앨리스의 경로 선정은 아무래도 비효율적이다. 선두를 교대해서 앨리스에게 방향만 알려달라고 했더니 훨씬 속도가 붙었다.

"혹시나 이런 것, 익숙한가?"

"아… 뭐, 나름대로."

"흐음. 서바이벌적인 생활이라도 했다거나?"

"말하자면 긴데."

"아직 몰라? 길든 짧든 그런 건 신경 쓰지 않아도 돼."

하루히로는 발을 디딜 수 있을 만한 파편에서 파편으로 걸음을 옮기면서 자기에 관해서… 라기보다 그들에 관해서 앨리스에게 이야기했다.

그림갈에서 눈을 뜨고 나서 1년 반도 넘는 나날을 처음부터 순서대로 말한 것은 아니다. 이야기가 이쪽으로 갔다가 저쪽으로 건너뛰었다가, 앞뒤가 뒤바뀌거나, 자기가 생각해도 말하는 법이 서툰 것 같다. 아니면 여기가 파라노니까 자연히 그렇게 되어버리는 건가?

간신히 폐허 6호를 벗어나자 하얀 모래밭 바로 앞에 수면이 펼쳐져 있었다. 흐름은 없다. 호수일까? 멀리 보이는 쪽은 유백색으로 탁하다.

"여기는…?"

묻자 앨리스는 어깻짓을 했다.

"아마도 본 적 없을걸? 계속 존재하는 장소는 별로 없고. 내가 아는 한은, 폐허 1호부터 폐허 7호까지 일곱 개의 거리의 흔적과 그 주변, 그리고 유리산, 하늘의 철탑과 번뇌 계곡, 그리고 삼도천 정도야."

"다른 데는 변하는 거야?"

"표식이 될 만한 지형만 기억해두면 어떻게든 돼."

"폐허 6호는 없어지지 않는다. 그러니까 너는 거기에서 살았었다."

"정말로 한 방 먹었다니까, 아히르 놈."

"그 남자는 거기 휘말리지 않았을까?"

"터프한 놈이니까 살아 있지 않을까? 죽었다면 죽일 수 없어. 살아 있어주지 않으면 곤란해."

앨리스는 태연히 수면을 향해서 발을 내딛었다. 헤엄쳐서 가려는 걸까? 앨리스의 오른발이 수면을 밟자 거기서부터 파문이 일었다.

가라앉지 않는다.

물이 아니었나?

보아하니 투명해서 수면처럼 빛을 반사하는 지면인 모양이다. 게다가 자극을 가하면 파문이 인다. 바닥은 보이지 않는다. 그저 투명하다.

하루히로도 걸어가봤다. 한 걸음 걸을 때마다 퍼지는 파문이 서로 맞닿으면 사라져버린다. 다른 파문의 방해를 받지 않으면 파문

은 어디까지고 한없이 퍼진다.

"우선 안정할 장소를 찾아야지."

몇 개나 되는 파문을 만들면서 앨리스가 말했다.

"나는 동료를 찾고 싶어."

"그건 들었어. 나도 도와주길 바라지? 뭐, 솔직히 살아 있을 거라고는 생각할 수 없고, 여기에서 사람을 찾는 건 간단하지가 않아."

"할지 말지 그것뿐이라고 앨리스가 말했지. 그럼 나는 한다."

"동료라. 모두. 동료들이. 동료가. 너는 그 말뿐이네. 동료들이 죽으라면 너는 죽을 거야?"

"그러는 게 제일 좋다면."

"말로만 그러는 놈은 꽤 있지만, 너는 정말로 그럴지도 모르겠어."

"마음에 없는 말은 하지 않아."

"내가 도와준다면, 너는 나한테 뭘 해줄 거야?"

"아히르에게는 목적이 있다고 너는 말했어. 너는? 강해지고 싶은 것뿐?"

또 무시당했다. 말하고 싶지 않은 거겠지.

"도와준다면, 그만큼 나도 너를 거들어줄게."

"네가?"

앨리스는 소리 높여 웃었다. 별로 화가 나지는 않는다. 파라노에서는 누구나 마법을 쓸 수 있다고 한다. 하지만 하루히로는 아직 자신의 마법인지 뭔지를 발견하지 못했다. 앨리스 입장에서 보면, 너 따위가 뭘 할 수 있냐고 말하고 싶겠지.

"내가 도움이 될지 어떨지는 앞으로 판단해주면 돼."

"아니, 하루히로. 네가 무능하다고는 생각하지 않아. 도적이라고 했나? 무슨 게임 같지만, 그 스킬은 여기에서도 활용할 수 있지 않을까?"

"…게임."

"RPG에 그런 거 있잖아. 도적 캐릭터. 잽싸고 아이템을 훔치기도 하고 말이지. 뭐, 나는 게임은 별로 하지 않았지만. 전혀 해본 적이 없는 건 아니니까."

"잘… 모르겠지만, 패닉 상태가 아니라면… 몽마라고 했나? 그런 괴물 같은 놈이 상대라도, 싸우지 못할 건 없다고 생각해."

"마법 나름이지. 어중이떠중이 몽마를 해치울 수 있는 정도로는 도저히 당해낼 수 없는 엄청난 놈도 있어."

그 엄청난 놈이란 왕을 말하는 건가?

호수가 아닌 투명한 지면은 이미 수많은 파문에 파묻혀 있다.

뿌연 저편에 물방울 모양 하늘 위까지 닿는 기둥 같은 그림자가 흐릿하게 보였다.

"저것이… 하늘의 철탑?"

"응. 파라노의 배꼽이라고 생각해도 돼. 하늘의 철탑을 기점으로 해서 어느 쪽으로 가면 폐허 몇 호가 있다거나, 그런 식으로 위치 관계를 기억하는 거야."

도대체 앞으로 얼마나 걸어가면 하늘의 철탑에 도달할 수 있는 걸까? 물어보고 싶었지만 그만뒀다. 돌아올 대답은 대충 짐작이 간다. 파라노에서 얼마나라거나, 언제쯤이라거나, 그런 건 생각해봤자 의미가 없다.

"몽마란 게, 그리 자주 접하는 건 아닌가 봐?"

"나 때문이야. 약한 몽마는 날 무서워하고 도망친다. 별이 떨어졌을 때처럼 큰 소동이 일어날 때에는 다르지만."

"너는, 유명인?"

"몽마는 분명 에고를 알아차리는 것 아닐까? 그놈들은 에고를 갖고 있지 않고 애초에 가질 수도 없지만, 그런데도 에고를 욕심내서 사람을 습격하지. 하지만 지나치게 강한 에고는 몽마에게 위협이야."

"…몽마를 죽일 수 있으면… 에고?"

"이드."

"…를 빼앗아서 강해질 수 있어?"

"네가 강해지는 게 아니야. 마법이 강해져."

에고와 이드는 서로 균형을 맞추려고 변동하는 성질이 있다고 한다.

예를 들어 앨리스의 에고가 100이라면 이드도 100 정도로 안정된다. 그 반대도 마찬가지다. 10의 이드를 갖고 있는 몽마를 죽이면 앨리스의 이드는 110이 된다. 그러면 에고도 단숨에는 아니어도 자동적으로 강해져서 110에 가까워진다.

"내 에고가… 10이라면, 이드도 10?"

"대개 그래."

"10의 이드를 지닌 몽마를 죽이면 내 이드는 20이 되고 에고도 20으로 늘어난다."

"그럼 좋겠는데."

대답을 피했다. 계산이 잘못된 건가? 10 더하기 10은 아무리 생각해도 20인데, 파라노에서는 그렇지 않은 건지도 몰라.

파문의 땅이 끝나자 새파랗다고밖에 말할 수 없을 만큼 파란 모래밭으로 나왔다. 군데군데 노란 버섯 같은 것이 갓을 펼치고 있다. 버섯, 인 건가? 가까이 가보니 대략 2미터 정도나 되고 거북이가 버섯을 짊어진 형태를 하고 있었다. 움직이지는 않고 만지면 딱딱하다. 몹시 해괴하지만 놀라지는 않았다. 파라노는 이상한 것들투성이다. 아니, 이상한 것밖에 없다.

"내 마법을 찾아야 해….”

"나는 삽이 있었으니까 살아남을 수 있었어.”

앨리스는 영차 하고 노란 버섯 아닌 버섯 위에 걸터앉았다.

"적어도 그 순간 삽은 내가 의지할 것이었다. 오직 삽만이. 생각해보니 그런 것이 마법이 될 가능성이 있는지도 몰라.”

"…없는지도 모르고?”

"네가 만들어낸 몽마는 어째서 그런 모습을 하고 있다고 생각해?”

"그것은… 왜일까? 꿈을 꾼 것 같은 느낌은 드는데, 전혀 기억나지 않으니까.”

"그런 거야. 이것이 답이라고 믿을 수는 있어도 절대로 틀림없다고 증명하기란 상당히 어려워.”

노란 버섯 아닌 버섯이 드문드문 난 파란 모래밭을 걷고, 걷고, 또 걸었다.

모든 것이 망상인 것처럼 느껴지기도 했다. 머릿속과 가슴에 또렷하게 아로새겨진 사건도 실제로 있었던 일이라고 느끼지 못하게 되자마자 우수수 무너져 손가락 사이로 빠져나가는 것이겠지.

앨리스C라는 타인이 없었다면, 만약 살아남을 수는 있었다고 해도 현실감이 희박해져 서서히 사라져버리고 추억을 전부 잃어버렸을지도 모른다.

언제부터인가 노란 버섯 아닌 버섯이 늘어나 지표면을 뒤덮어버리고 모래밭은 보이지 않게 되었다. 버섯 아닌 버섯 위는 미끄러워서 걷기 힘들지만, 걸어가는 수밖에 없다.

갑자기 공복감을 느꼈다. 창자가 음식을 원해서 꿈틀거리는 것 같다. 그러면서도 꼬르륵거리지는 않는다. 목도 마르다. 뭔가 마시고 싶다. 어째서인지 눈 안쪽이 따끔따끔하다.

"…물. 먹을 수 있는 것은…?"

"처음에 말하지 않았던가? 먹고 마시지 않아도 죽지 않아. 나는 이미 한참 동안 아무것도 입에 대지 않았어."

"하지만 돌아버릴 것 같아."

"침이라도 마시지그래?"

그러기로 했다. 납득한 것은 아니지만, 침이든 뭐든 삼키지 않으면 진정이 안 될 것 같다.

사방에 있던 노란 버섯 아닌 버섯의 정원은 갑자기 회색의 울퉁불퉁한 바위 밭으로 변했다. 바위에서 무수한 작은 뱀밥 같은 것이 삐죽삐죽 자라나 있다. 이것은 먹을 수 있지 않을까? 몇 개 뜯어서 입안으로 던져 넣으려고 했을 때 앨리스가 보고 있다는 것을 깨닫고 자제했다. 작은 짝퉁 뱀밥은 짓이기자 황금색 액체가 나오고 썩은 것 같은 냄새가 났다. 그래도 핥아보고 싶다는 욕구가 일어나 스스로가 무서웠다.

바위 밭은 기복이 심했고, 올라가고 있다 보면 내려가고 있기도 하고, 내려가려고 했는데 올라가고 있기도 했다.

문득 돌아보니 하늘이 없다. 오른쪽을 보면 하늘이 보였다. 벽을 걸어가는 거나 마찬가지인데도 떨어지지는 않는다. 계속 그런 건가 하면 그렇지는 않고, 지면은 완만하게 나선을 그리고, 하늘이 위에 있기도 하고 밑으로 가기도 하고, 오른쪽에 있기도, 왼쪽에 있기도 했다.

때때로 배고픔과 목마름이 돌아왔다. 내내 태연한 앨리스가 얄미워지는 경우도 종종 있었다. 굶주림과 갈증은 마음을 어지럽힌다. 그 탓이라 생각하고 짜증과 증오심을 지우려고 했다. 잘될 때도 있고 잘 안 될 때도 있었다.

하늘의 철탑이 드디어 뚜렷하게 보이게 되었다.

"전파탑 같네. 너무 크고, 너무 높지만."

앨리스는 무슨 말인지 모를 소리를 했다. 아무튼 하늘의 철탑은 그 이름대로 철 구조재로 쌓아올려, 오로지 쌓아올려, 하늘 꼭대기까지 도달한 것 같은 거대한 건조물이었다. 나선의 언덕에서 바라보면 철탑 자체뿐만이 아니라 그 주위도 전부 철이라는 것을 알게 된다. 높이 수십 미터의 녹슨 철의 벽들이 철탑을 몇 겹으로, 아니, 몇백 겹으로 둘러싸고 있다.

철의 벽에는 격자가 달린 문이 있었다. 문으로 들어가면 그 너머에도 철의 벽이 가로막고 있다. 벽을 따라 걸어가면 또 문이 있다. 문을 지나 다시금 벽을 따라 걷는다. 문이 있다. 통과하고, 벽을 따라 걷는다. 끝없이 그것을 반복한다.

"나는 길의 순서를 기억하고 있지만, 모르면 분명히 헤맨다. 막다른 곳도 많고."

"거의 미로야."

"여기는 변하지 않는다는 게 그나마 다행이야. 매번 변한다면 올 때마다 시행착오를 되풀이해야 해."

점차 배고픔과 갈증에 대처할 수 있게 되었다. 그 대신인지 동료들에 대한 그리움이 커져 쌓일 대로 쌓였다. 견딜 수 없게 되면 앨리스에게 양해를 구하고 우와아아아아아아… 외치기도 하고 데굴데굴 구르기도 했다. 앨리스는, 바보냐? 라고도, 뭘 하는 거야? 라고도 말하지 않았다.

벽의 미로를 빠져나가자 고철덩어리가 산처럼 쌓여 있고 그 위에 하늘의 철탑이 우뚝 솟아 있었다.

하늘의 철탑에는 바깥 계단이 설치되어 있다. 철제 골격과 폭 1미터 반 정도의 발 디딤판뿐이고 난간도 없는 계단이라서 고소공포증이 있는 사람에게는 힘들 것이다. 발판도 철제지만 힘껏 밟으면 약간이나마 흔들릴 정도로 얇다. 계단 전체가 약간씩 흔들리기도 했다.

100미터쯤 올라가니 계단이 끊겼다. 사다리가 달려 있다. 긴 사다리다. 적게 잡아도 50미터는 된다.

바람이 강해져서 마스크를 하고 있어도 달다. 좀 무서웠지만, 그래도 어떻게든 사다리를 다 올라가자 거기서부터 또 계단이 뻗어 있었다. 계단을 올라가고, 사다리를 올라가고, 계단을 올라간다. 사다리를 올라가고, 계단을 올라간다.

앨리스가 계단의 층계참에서 발을 멈췄다. 그 층계참에는 기묘한 것이 있었다.

이름을 붙인다면, 계단의 층계참에서 다리를 내밀고 주저앉아 있는 남자의 동상… 이 되겠지. 이 동상도 철제인 건가? 오히려 녹만

긁어모아 굳힌 게 아닐까 싶을 정도로 녹이 슬었다.

남자는 중간 키에 중간 체형의 20대에서 30대. 허벅지에 손을 올려놓고서 어딘가 먼 곳을 보고 있다.

앨리스는 동상의 머리를 톡 두드렸다.

"여기에 계속 있으면 이렇게 돼."

"…이렇게라니?"

"녹이 슬어버려. 인간이라도."

"그럼, 다는 건, 이 사람…."

"녹슬기 전에는 숨을 쉬었고 움직일 수 있었어."

"아는 사람?"

"언제 와도 여기에 있었지. 조금씩 녹이 슬기 시작해서 그대로 있으면 위험하지 않겠냐고 충고해줬지만, 괜찮다고 해서. 본인의 희망이니까."

남자는 당연하지만 꿈쩍도 하지 않는다. 아직 살아 있는 건가? 그렇게는 보이지 않는다. 하지만 여기는 파라노. 온몸에 녹이 슬었을 뿐이고 죽지는 않은 건지도 모른다.

"여기에는 오래 있을 수 없어. 녹이 슬어도 좋다면 이야기는 달라지지만."

"…위험하다는 거야?"

"오래 눌러앉지 않으면 괜찮아. 나는 몇 번이나 왔었으니까. 좀 더 위까지 갔던 적도 있지만, 녹이 슬지 않았어."

"길다거나 짧다거나 그런 건 파라노니까 상관없는 것 아닌가…?"

"그래야 하는데 말이지, 실제로 이 사람은 녹이 슬어버렸잖아."

앨리스는 그렇게 말하고 남자의 머리를 한 번 쓰다듬었다.

그리고, 남자가 보고 있는 방향을 가리켰다.

지표면의 대부분은 유백색 안개로 덮여 있다. 마치 구름바다 같다. 단, 지형이 노출된 장소도 드문드문 있다.

앨리스가 가리킨 방향으로 시선을 향했는데, 저것은 혹시나 꽃인가?

형형색색의 꽃이 흐드러지게 피어 있다.

"폐허 2호… 였던 장소. 바야드 가든. 이제부터 나는 저기로 간다."

앨리스는 올라왔던 계단을 가볍게 내려가기 시작했다.

뒤를 따라가기 전에, 녹이 슬어버린 남자의 뺨을 만져봤다. 차가웠다. 손가락에 녹이 묻었다. 손가락을 맞대고 비벼 녹을 털어내면서, 나는 동료들을 찾는다… 고 몇 번이나 중얼거렸다. 그러기 위해서는 앨리스의 도움이 필요하다. 그러니까 우선은 따라간다.

시간을 버는 거지? 사실은 찾고 싶지 않은 것 아니야? 동료를 찾아 결과를 눈으로 보기가 무섭다. 그래서, 뒤로 미루는 것 아닌가?

애초에 찾아다녀봤자 영원히 찾지 못할지도 몰라.

무릎에서 힘이 빠졌다. 쪼그리고 앉을 뻔했다.

앨리스가 계단을 내려간다. 이제 곧 보이지 않게 되겠지.

남자 옆에 앉고 싶은 충동에 휩싸였다. 물론, 그런 일은 하지 않는다.

우선은, 지금은 아직.

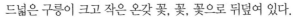

드넓은 구릉이 크고 작은 온갖 꽃, 꽃, 꽃으로 뒤덮여 있다.

저 언덕에는 빨간 꽃이 피어 있다. 맞은편 경사면에는 노란 꽃과 오렌지색 꽃이 뒤섞여 있다. 보라색 꽃이 있다. 파란 꽃도 있다. 하얀 꽃이 있고, 핑크색 꽃이 있다.

폐허의 흔적이라면 꽃들 속에서 흘깃흘깃 보이는 건물의 잔해 정도다. 그것도 대부분은 무너지기 직전인 벽이라거나 기둥만 남은 것이었고, 이끼가 껴 있고, 넝쿨이 얽혀 있고, 풍경의 일부로 화했다.

"거리였던 무렵에는 이마기였던가? 그런 이름이었던 모양이야."

앨리스는 절대로 꽃을 밟지 않게끔 조심하라고 하루히로에게 경고했다.

이 꽃들은 자생한 것이 아니다. 전부 여기저기에서 끌어 모아 여기에 심고, 키우고, 손질을 하고, 관리하고 있는 것이다.

멀리에서 보면 모르지만, 이 화원에는 폭 50센티미터 정도의 좁은 길이 나 있다. 두 사람은 그 길을 통해 구릉을 걸어갔다.

"저… 만약 꽃을 밟으면 어떻게 돼?"

"혼나."

"누구한테?"

"지금 그 사람을 만나러 가는 거야."

바야드 가든이라고 불린다는데, 여기는 폐허 2호이고 변하지 않는 장소다. 언덕이 늘어나거나 줄어들거나 하지는 않는다. 그래야 한다.

완만한 꽃의 언덕을 일곱 개, 아니, 여덟 개 넘었다. 아홉 개인가? 더 있었는지도 몰라. 처음에는 그 아름다움에 감동했었다. 이제는 아무것도 느껴지지 않는다.

꽃도, 언덕도 다 상관없다.

"앨리스."

"뭐야?"

"…어째서인지는 모르지만, 아까부터… 언제부터, 일까? 아무튼 동료들의 이름이 생각나지 않아. 얼굴은 떠오르는데."

"그 사람 얼굴을 떠올리며 알파벳순으로 말해보면 어때? A, B, C, D, E, F, G, 이런 식으로."

"A, B, C, D, E…."

…X, Y, Z 까지 말해봤지만 전혀 감이 안 온다.

"…이상하네. 잊어버릴 리가 없는데."

"뭐든 잊어버리게 돼. 나는 부모님 이름이나 얼굴도 생각나지 않아."

"부모님에 관해서는 처음부터 기억나지 않았지만…."

"으음, 그림갈이라는 곳에서 눈을 뜨기 전 일은 전혀 모른다는 거로군. 그럼 동료의 이름 정도는 잊어버려도 이상할 것 없잖아."

"만약 정말로 잊어버렸다면… 없었던 거나 마찬가지가 돼."

"시호루. 쿠자크. 메리. 세토라? 그리고, 뭐였더라? 키이치? 유메. 그리고, 그거 말고 또 란타? 그리고 마나토. 모구조?"

"…어떻게?"

"네가 나한테 말했잖아. 뭐, 맞는다는 보장은 없지만."

"맞아. …틀림없어. 전원, 다 맞아."

동료들을 잊어가고 있다는 사실을 깨달아서 다행이다. 그대로 있었으면 언젠가는 존재조차 머릿속에서 깡그리 사라졌을 것이다.

　그러나 무엇과도 바꿀 수 없는, 더할 나위 없이 소중한 동료들을 어떻게 잊어버릴 뻔했던 건가? 하루히로는 어떻게든 동료들을 찾을 생각이지만, 마음 한구석에서는 잊어버리고 싶은 건지도 모른다. 잊어버리면 차라리 편하다.

　그런 게 아니야… 라고 생각하고 싶다. 그래도 내 마음속에 그런 바람이 숨어 있다는 사실을 그저 모르고 있었을 뿐인지도 몰라.

　물론, 여기가 만약 그림갈이었다면 뭔가를 잊고 싶어도 그리 쉽사리 잊을 수는 없었을 것이다. 잊을 수 없을 만한 사항이라도 파라노에서는 망각의 저편으로 사라진다.

　"소중한 것은 꽉 움켜쥐고 있지 않으면 금방 사라져버려."

　여기에서는 한순간이나 영원이나 똑같으니까… 라고 앨리스가 말한다.

　"하지만 실은 언제나 우리에게는 지금밖에 없어. 그렇다는 건 말이지, 영원도 한순간도 본질적으로는 똑같다는 거야. 하루히로, 이렇게 이제 동료들과 만날 수 없게 될지도 모른다는 걸 처음부터 알았다면 너는 어땠을까?"

　꽃의 언덕을 걸어가노라니 좁은 길 한복판에 노란 새가 오도카니 앉아 있었다.

　도가머리라고 하나? 머리 위에 긴 깃털이 나 있다. 볼이 동그랗게 빨간색이라 귀엽다.

　"…앵무새? 잉꼬인가? 이런 곳에….."

　"스즈키 씨."

앨리스가 새에게 말을 걸었다.

"어이, 앨리스."

스즈키 씨라 불린 새는 인간의 목소리를 흉내 내는 것이라고는 생각할 수 없는, 아주 또렷한 낮은 목소리로 대답했다. 새가 아니라 중년이나 초로의 남성이 내는 소리였다면 딱 어울리겠지. 그런 음성이었다.

"하나메(花女)한테 인사하러 온 건가?"

"그렇지 뭐. 스즈키 씨는 여전히 여기에서 쉬고 있는 건가?"

"기분 좋은 장소니까."

스즈키 씨는 때때로 빙글빙글 목을 돌리면서 말한다. 입의 움직임이 너무나 빨라서 음성과 맞는 건지 아닌지 뭐라 말할 수가 없다.

"하나메의 역린을 건드리기만 하지 않으면, 근사해, 여기는."

"나도 한동안 신세질까 해."

"신참을 데리고 왔군. 소동을 일으키지 말아줘. 나는 평화주의자다."

"그렇다면 나한테 다가오지 않는 게 좋아."

"인사를 하고 싶었을 뿐이야. 아는 바와 같이 나는 예의 바른 인간이니까."

스즈키 씨는 파드닥 날갯짓을 하더니 어딘가로 날아가 버렸다.

"…저것은, 반마? 라거나? 몽마는 아닌 것 같은데. …혹시나 트릭스터?"

"스즈키 씨는 인간이야. 저것은 스즈키 씨의 도펠."

"마법의 일종?"

"응. 자기 긍정감이라고 하나? 그런 게 낮고 자기가 너무나 싫은 사람은 도펠을 만들어낼 수 있는 경우가 많은 것 같아. 자기애가 강한 인간일 경우에는 대개 오로지 자기 자신이 강해지는 나르시. 제일 재미없는 마법이지만. 요컨대 자의식의 표출 방식이랄까, 방향성이겠지."

"하나메라는 것은…?"

"그녀는 트릭스터. 바야드 가든의 주인이야."

"어, 그… 트릭스터? 를 만나는 거야? 지금…?"

"평소에는 온화하고 느낌 좋은 사람이니까, 뭐, 괜찮지 않을까?"

하루히로는 한층 더 발밑을 조심하면서 걸었다. 처음에 앨리스에게서 주의를 받은 이후로 계속 신경을 쓰고는 있었지만, 스즈키 씨도 하나메의 역린을 건드리면 위험하다는 비슷한 말을 했었으니 신중에 신중을 기하는 게 좋겠지.

"…개인적으로는, 빨리 동료들을 찾으러 가고 싶은데."

"나는 급할 것 없어. 가고 싶으면 혼자 가지그래?"

"나 혼자서 움직이는 건, 솔직히… 가능성이 안 보여."

"하늘의 철탑만 알면 어디든 갈 수 있고 돌아올 수도 있어."

"그래서 나를 하늘의 철탑으로 데려가줬던 거구나."

"나는 때때로 상냥하니까."

하루히로는 발길을 멈췄다.

뒤를 돌아보고, 혼자서 가야 할지 생각해본다.

갈게… 라고 말하면 앨리스는 하루히로를 말릴지도 모른다. 말은 그렇게 했어도 따라와줄지도 모른다. 분명히 하루히로는 그것을 기대하고 있다.

언제부터 이렇게 약해진 거지? 아니, 원래부터 약했다. 의용병

견습생이 되었던 초기에는 마나토가 지시해주지 않으면 아무것도 할 수 없었다.

그때부터 필사적으로 최선을 다했다면 잃지 않았을까?

"앨리스. …앨리스C."

불러보긴 했으나 불러 세울 생각은 없다. 이미 하루히로는 앨리스에게 등을 돌리고 있다. 발소리가 들리지 않는 걸 보니 앨리스는 아마 멈춰 서 있을 것이다. 하지만 하루히로는 돌아보지 않고 갈게… 라고 전했다.

"나는 동료를 찾을 거야."

"그렇군."

"그리고 내 마법도, 찾아야지."

"뭐, 할 수 있는 한 노력해봐."

여기에서 헤어지면 두 번 다시 만날 수 없다. 그런 예감이 든다. 조금 서운하지만 망설임은 없다.

아니다. 돌아보지 않는 것은, 그렇게 하면 결의가 물러질 것 같은 느낌이 들기 때문이다. 망설임은 있다. 없다고 생각하지 않으면 나아갈 수 없으니까, 망설이거나 하지 않아, 그렇게 자신에게 이른다.

하루히로는 입을 가린 마스크를 만졌다.

"마스크, 고마워."

"됐어, 별로."

또 어딘가에서… 라고 말하려다가 말을 도로 삼키고 하루히로는 한 걸음 앞으로 나섰다. 일단 탄력이 붙어버리면 갈 수 있는 데까지 가게 된다. 여기서부터는 혼자이고 어쩌면 계속 혼자일지도 모른다. 막막하다. 무섭지만, 겁을 집어먹으면서도 발을 움직이고 있으면 그만큼 앞으로 나아갈 수 있다. 동료들의 이름을 외치고 싶어졌다. 설마 또 잊어버리진 않겠지? 괜찮다. 분명히 기억하고 있어. 하지만, 참자. 적어도 바야드 가든을 나갈 때까지는. 얼마나 걸어가면 되는 건지. 뛸까?

뛰지는 않더라도 다소 속도를 올리기로 했다. 바로 그때였다.

앞쪽 언덕에서 뭔가가 움직이고 있었다.

수백 미터, 어쩌면 그 이상 떨어져 있어서 잘은 보이지 않는다. 단, 좁은 길을 지나는 것 같다. 인간인가? 얼핏 떠오른 것은 아히르였다. 아닌가? 형태를 봐서 인간이라고는 생각할 수 없다. 몽마일까? 앨리스가 근처에 있는데? 몽마라면 앨리스를 겁낼 것이다. 그렇다는 건, 몽마가 인간에게 빙의한 반마인가? 혹은 누군가의 도펠인지도 몰라. 하루히로는 대거를 뽑고 경계했다.

저것은… 거미, 인가? 하지만 다리는 문어 같다. 인두문어거미.

그 이동 속도는 결코 느리지는 않다. 아니, 꽤 빠르다. 벌써 놈은 40~50미터 근처까지 다가와 있다. 놈은 인간보다 크고 발이 많지만, 그 잔뜩 있는 문어발을 재주 좋게 고속으로 꿈틀거려 폭 50센티미터 정도의 좁은 길을 질주해 다가온다.

"아하하하하하. 아하하하하하하하. 아하하하하. 아하하하하하하하."

왠지 웃고 있고. 머리가 인간이니까 웃는 것 정도는 할 수 있는 건가? 목소리가 위험해.

"…아니, 그보다…?"

이미 인두문어거미의 얼굴 형태까지 뚜렷이 구분할 수 있게 되었다. 저 뻣뻣해 보이는 머리카락. 안경. 콧방울이 옆으로 퍼진 코. 얼굴 형태는 각이 졌다. 그리고, 저 목소리.

"아히히히. 우후하아. 에히히오호호호호호오. 갸하하하교호호규후후후우."

"…케지만?"

"뾰오오오오오오오오오오오오오오오오오오오오오오…!"

문어발을 쓱 수축시키더니 다시 단숨에 쭉 뻗으며 뛰었다. 케지만이. 아니, 케지만인가? 얼굴은 케지만을 닮았지만. 꼭 닮았지만. 케지만 그 자체지만. 그저 위로 점프한 것이 아니다. 즉, 수직 점프를 한 게 아니라, 이쪽으로 온다. 덤벼들려는 것 아닌가? 피하지 않으면 정면으로 맞는 거 아니야? 이거. 당연히 이런 상황에서 가만히 있을 만큼 하루히로도 얼이 빠진 것은 아니다. 케지만을 닮은 문어거미의 낙하 예상 지점은 하루히로의 현재 위치이므로 이동하면 난을 피할 수 있다. 이럴 때에는 물러서는 것보다, 그거다, 앞이다. 자유롭게 움직일 수 있는 장소였다면 앞으로 구르는 정도는 했겠지만, 화원을 망가뜨릴 수는 없으니까 자세를 낮추고 좁은 길을 달렸다. 하루히로의 머리 위를 케지만이 뛰어넘었다. 아니, 케지만인지 아닌지는 모르지만.

뒤에서 질척한 느낌의 이상한 착지음이 들렸다. 뒤를 돌아보니 케지만을 닮은 문어거미가 돌아서려 하고 있고, 그 너머에서 뛰어오는 앨리스의 모습이 보였다.

"어이, 꽃을 밟지 마…!"

앨리스는 하루히로가 아니라 케지만을 닮은 문어거미한테 한 말이겠지. 말을 해서 통하는 상대인지, 그런 의문이 들지 않는 것도 아니고, 이미 늦었기도 하고.

"샤아아아아아아아…."

기괴한 목소리를 내면서 케지만을 닮은 문어거미가 이쪽을 향했다. 그 문어발이 좁은 길 밖으로 삐져나가 순백의 꽃들을 무참하게 짓밟았다.

"하루하루하루하루하루하루하루히로로로로로로로로로오오오오오…."

"아니, 너 말이야…."

이 녀석은 케지만이다. 적어도 원래는 케지만이었던 것이다. 살짝 울고 싶어졌다. 이렇게까지 민폐남은 그리 흔치 않다고. 그리고 "로로로로로로로로로로"라고 말할 때의 혀의 움직임이 초절정 징그럽다. 그보다, 꽃, 밟아버렸는데, 어떻게 되는 거야?

"…무슨 짓을…!"

앨리스가 전 케지만에게 덤벼들었다. 휘두른 삽이 벗겨지고 수십 개의 거무스름한 띠 상태의 껍질이 전 케지만에게 감긴다. 말할 필요도 없는 일이지만, 저것은 그냥 껍질이 아니다. 소용돌이치는 파편에서부터 앨리스와 하루히로를 지켜냈다. 튼튼하고 예리하기도 하다.

수십 개의 거무스름한 띠 상태의 가죽이 전 케지만을 난도질한다. 껍질이 닿는 것만으로도 전 케지만은 우무처럼 썽둥썽둥 잘려나간다.

"우왓…."

하루히로는 자기도 모르게 뒷걸음질을 쳤다.

전 케지만의 동체 부분은 거대한 거미 같고 다리는 문어다. 동체

앞부분 위쪽에 케지만의 머리가 솟아나 있다. 띠 상태의 껍질은 동체며 문어발이며 가리지 않고 사정없이 베어버렸다. 조금만 더 있으면 케지만의 머리도 싹둑 잘린다. 그 직전이었다.

케지만이 스륵, 빠져나왔다.

마치 동체에서 발사한 것처럼, 전라의 케지만이 튀어나왔다.

문어거미한테서 케지만이 태어난 것처럼 보이기도 했다.

"히익! 이히이이이익!"

좁은 길에 떨어진 케지만이 이쪽으로 기어온다. 하루히로는 더욱 후퇴했다. 일단 나체이고. 온몸, 점액 같은 것으로 뒤범벅이 되었고, 끈적끈적 미끈미끈하고. 안 그래도 기본적으로 그다지 가까이 가고 싶지 않은 남자다.

"하루히로로로로오. 하루히로로로로로로로로오오오. 로로로로로로로로로로."

"오지 말라니까…!"

"너무 냉정하게 말하잖아…."

케지만은 갑자기 벌떡 일어섰다.

문어발은 이미 조각조각이 되어 떨어져나가 주변에 흩어져 있다.

앨리스가 문어거미의 잔해를 뛰어넘어 삽을 겨눈다.

"…몽마에게서 인간이 나왔다? 도대체 뭐야? 그 녀석. 하루히로, 네 친구인가?"

"아니, 친구는…."

"친구가 아니면 뭐냐고요오? 하루히로. 내 이름을 말해봐아아아아아아아."

"…케지만이죠?"

"케지만이라고, 나, 나, 나라고? 어라, 어라라 레레레? 레레레레 레레레레레레레레."

입에서 혀가 튀어나오더니 엄청난 속도로 좌우로 움직인다. 안경 안쪽에서 케지만의 안구가 빙글빙글 빙글빙글 회전하고 있다. 온몸에 혈관이 떠올라 꿈틀꿈틀 맥박 친다. 분명히 심상치 않다. 이건 틀렸다. 매정한지도 모르지만, 처치하는 게 좋다. 단, 반마인지 뭔지 잘은 모르지만, 케지만은 아마도 괴물로 변한 것이다. 하루히로가 감당할 수 있을지 어떨지. 전혀 자신이 없다.

"애, 앨리스….."

미안하지만 앨리스의 마법에 기대는 수밖에 없다. 사실 하루히로가 부탁할 필요도 없이 앨리스의 손안에서 삽이 벗겨지고 있었다. 굿바이, 케지만. 두 번 다시 만나고 싶지 않아. 그보다 당신과 만나지만 않았어도 이렇게 되지는 않았을 거야.

"ΩΩΩΩΧΧΧΧΧΧΧΧΩΩΩΧΧΧΧΧΧΧΩΩΧΧΧΧΧΧΧΩΩΩΧΧΧΧΧ ΧΧΧΩΩΩΧΧΧΧΧΧΧΩΩΧΧΧΧΧΧΧΧΩΩΩΩΧΧΧΧΧΧΧΩΩΧΧΧΧΧΧΧΧ ΧΧΧΩΩΩΩΧΧΧΧΧΧΧΩΩΩΩΧΧΧΧΧΧΧ…!"

"…옷."

하루히로는 비틀거렸다. 소리인가? 초음파라고나 할까? 초진동이랄까? 귀가 아프기도 했지만 평형 감각이 이상해져서 심하게 휘청거렸다. 하루히로뿐만이 아니다. 나체의 케지만도 머리를 감싸 쥐고서 웅크리고 앉아 있고, 앨리스조차도 몸을 숙이려고 했다. 앨리스가 "…나메다!"라고 외친 것 같은. 나메다. 나메. 하나메인가? 이 바야드 가든의 주인. 트릭스터. 이 땅의 꽃을 밟아서는 안 된다. 케지만이 그 금기를 범했다. 하나메의 역린을 건드린 것이다. 그 결과, 이렇게 된 건가?

땅 끝에서부터 뭔가가 물밀듯이 하늘로 퍼지고 있다. 그것은 점점 커져서 물방울 모양 하늘을 덧칠하고, 그 영역을 확대해서, 점령해간다. 단색이 아니고 무슨 색이라고도 표현하기 힘들다. 색 배합이 시시각각 변하고 빛나는 것도 있어서 오로라 같기도 하다. 단, 오로라 같은 방전 현상과는 명백하게 다르다. 그것은 물체로서 거기에 있다. 물체, 라고나 할까, 뭐, 움직이는 것 같으니, 생물이랄까. 거대하다는 말로는 부족할 정도로 크지만, 날개를 활짝 편 새, 혹은 나비나 나방이나 뭔가 그런 것이 날아와서 하늘을 뒤덮으려고 했다. 혹시나 저건가?

"…하나메?"

아니, 그렇지는 않은가? 아무러면 너무 거창하다. 하나메 그 자체는 아니고 하나메가 그 힘으로 일으키는 현상이라고 보는 것이 타당하겠지. 물론, 그래도 내 착각이기를 기도하고 싶어질 정도로 엄청나다. 앞으로 어떻게 되어버리는 건가? 상상도 못 하겠지만, 하늘을 채우려고 하는 하나메 내지는 하나메의 능력 같은 것이 물결치는 것처럼 보인다. 저것이 만약 거대한 나비나 나방이라면, 날갯짓을 하려는 건지도 모르겠다.

바람을 느꼈다. 달지 않다. 위로, 위쪽으로 대기가 빨려 올라간다.

"우홋! 우홋! 우홋! 우호홋! 우호호호호홋!"

케지만이 네발로 바닥을 짚고 엎드려 땅바닥에 달라붙으려고 했다.

"앗…."

하루히로의 몸이 떠올랐다. 위험해.

날고 있다.

그게 아니라, 날아가버리겠어.

꽃이.

바야드 가든의 꽃들이, 무수한 빨강과 노랑, 오렌지, 보라, 파랑, 하양, 핑크색 꽃잎을 흩날리며, 그것들이 휘말려 올라간다.

"앗, 이런…?!"

하루히로는 지상으로 돌아가려고 필사적으로 버둥거렸다. 하지만 하늘에 떠 있고. 하루히로는 이미 공중에 있다. 이거, 어떻게 할 수도 없지 않아…?

"하루히로…!"

바로 밑에서 앨리스가 삽을 바닥에 꽂았다. 삽이 벗겨져 거무스름한 띠 상태의 껍질이 하루히로를 향해서 뻗어온다. 앨리스는 하루히로를 구하려고 하는 건지도 모른다. 하지만, 베이지 않을까? 괜찮아?

거무스름한 띠 상태의 껍질들은 의외로 상냥하게, 껴안는 것처럼 하루히로를 휘감아주었다. 앨리스는 하루히로를 끌어내리더니 억지로 바닥에 엎드리게 했다.

"꺄아아아아아아아. 뀨우우우우우. 끼요오오오오오오오오…?!"

알몸의 케지만이 하늘을 향해서 빨려 올라간다. 그보다 왜 헤엄치는 거야? 저 녀석. 놈이 괴물이 되었다고 해도 하늘을 헤엄칠 수는 없다. 저렇게 팔다리를 움직여 헤엄치는 기분을 내는 것뿐이겠지.

앨리스는 삽의 껍질을 천막 상태로 펼쳤다. 잠시 후에 수십 개의 껍질이 서로 딱 달라붙어 조금의 빈틈도 없어졌다. 안쪽은 바깥과는 격리되고 닫혀버렸다. 밖에서는 맹렬한 상승 기류가 휘몰아쳐도 안에 있으면 바람 소리가 들릴 뿐이다.

"이 정도로 그녀의 노여움이 가라앉아주면 좋겠지만. 희망은 희박한가."

"…혹시 저 커다란 게 하나메?"

"평소엔 저렇지 않아. 보기에는 예쁘장한 여자라는 느낌이야. 얼굴은 없지만."

"응. …그런가, 없구나, 얼굴이…."

"저 징그러운 놈이 꽃을 밟아버렸으니까."

"오히려 하나메 본인이 엉망진창으로 만들고 있는 것 같은데…."

"열을 받으면 앞뒤 안 가리지만, 트릭스터 중에서는 그나마 나은 편이야."

나은 편. 저게 나은 편인가? 진짜로? 무시무시하다, 트릭스터. 관여하고 싶지 않아.

"하루히로."

"…응?"

"왜 내가 굳이 하나메한테 온 건지 의아하지?"

"뭐… 그야, 그렇지. 솔직히…."

"엄청나게 골치 아픈 인연이라도 전혀 없는 것보다는 훨씬 낫다. 누구와도 엮이지 않고 살아갈 수 있다고 생각한다면 큰 착각이야."

문득 란타의 얼굴이 뇌리를 스쳤다. 그런 녀석이라도 만약 지금 곁에 있다면 다소는, 아니, 상당히 든든했겠지. 혼자서 동료들을 찾을 생각이었는데, 벌써 결심이 흔들리기 시작했다. 이 어찌할 수도 없는 나약함을 어떻게든 버려야만 하나? 아니면, 나약한 나 자신을 받아들이고, 이대로 어떻게든 해나가는 수밖에 없는 건가?

동료들이 있으면 하루히로의 역할은 명확하고, 목적 설정도 용이했고, 게다가 앞을 보고 돌진하기만 하면 되었다. 혼자서는 뭔가 결정을 해도 안정되지 않고 금방 휘청거린다.

"그것이 너인 거겠지."

앨리스는 갑자기 그렇게 중얼거리더니 오른손으로 벗겨진 삽자루를 쥔 채, 왼손으로 하루히로의 목깃을 움켜잡았다.

"일어서."

"어?"

의아해하면서도 그 말을 따르자 앨리스는 왼팔을 하루히로의 허리에 둘렀다.

"…어? 뭐? 무슨… 어?"

"뭔가 이상하다고 느끼고는 있었어. 마법을 쓰면 그 나름대로 피곤해지는 건데, 이렇게 네가 옆에 있으면 몸이 지나치게 편해. 요컨대 내 마법이 강해지고 있어."

벗겨진 삽이 빨갛고 아련하게 깜박이고 있다. 마스크를 벗으면 앨리스는 어떤 얼굴일까? 내 생각을 간파한 건가? 앨리스는 하루히로를 보고, "좋아"라고 속삭이는 것처럼 말했다.

"내 마스크 벗겨도 좋아. 보고 싶지?"

손이 떨렸다. 주저는 하지 않았다. 하루히로는 앨리스의 마스크를 턱밑까지 끌어내렸다.

"비교적 평범해서 맥이 빠졌어?"

"…아니."

"동료 찾기. 거들어줄게, 하루히로. 네 마법으로 나를 도와준다면 말이야."

"내… 마법?"

"마법은 네 종류가 있다고 했었지."

"필리아와 나르시와 도펠… 세 개밖에 듣지 못했어."

"네 번째는 나도 처음 봤으니까. 레저넌스."

"…그게, 나의?"

"그래. 레저넌스는 말이지, 타인의 마법을 증강시킨다. 단지 그것뿐."

"그렇다는 건… 나 혼자서는, 아무것도 할 수 없어?"

"너에게 딱 어울리잖아."

앨리스가 살짝 웃었다.

아까부터 가슴속이 고동친다. 그것을 간파당하고 싶지 않아. 하지만 앨리스는 분명 알고 있을 것이다. 나는 못생기지 않았어… 라고 앨리스는 말했었다. 잘도 그런 말을 하네. 못생기지 않았다는 정도의 수준이 아니야.

새벽 연대를 이끄는 소우마의 파티에 리리야라는 엘프 여성이 있었다. 엘프인 만큼 몸이나 이목구비가 애초에 인간과는 다른, 전혀 다른 차원의 미모의 소유자다.

굳이 말하자면 앨리스는 리리야를 닮았다. 다른 인간과는 원체 비교할 수가 없다. 코나 눈동자나 입술이나, 이런 형태, 이 크기에 밸런스가 나쁘지 않다니, 이상하잖아. 조물주 같은 존재가 미크론 단위로 신중하게 조정해서 완성한 것 같다. 숨을 훅 불기만 해도 무너질 것 같아서, 망가뜨려버리는 건 너무나 아깝다. 앨리스는 지독

하게 괴롭힘을 당했다고 한다. 육체적으로든 정신적으로든, 앨리스를 괴롭힌 놈들의 심정을 이해 못하겠다. 하루히로였다면 겁이 나서 가까이 갈 수조차 없었겠지. 가급적 다가가고 싶지 않아. 가끔씩 먼발치에서 바라보는 것만으로도 충분하다.

과연 앨리스는 현실인 건가? 역시 꿈 아닐까? 앞으로도 하루히로는 몇 번이나 그렇게 생각하게 된다. 그리고 이렇게도 생각할 것이다.

전부 꿈이라면 좋을 텐데… 라고.

왜지 잘 모르겠지만, 컨디션은 나쁘지 않다. 온몸에 힘이 한껏 차오른다. 최고의 상태라고 해도 과언은 아니겠지. 실제로 공기를 채운 것처럼 근육이 튀어나와서 갑옷이 꽉 낀다. 덕분에 다소 답답하지만, 그것을 보완하고도 남음이 있을 정도로 몸의 움직임이 좋다. 힘이 넘치는 이런 상태는 일찍이 경험한 적이 없다. …그건 좋지만 말이야.

"시호루 씨…!"

쿠자크는 목소리를 최대한 쥐어짜서 동료의 이름을 불렀다. 엄청나게 큰 목소리가 튀어나와 자기조차 겁을 먹었다. 밤도 아닌데 지면도, 나무도, 모든 것이 칠흑의 숲이고, 쿠자크는 대검을 들고서 그녀와 대치하고 있었다.

"이제 그만 정신 차려요! 시호루 씨는 그런 사람이 아니잖아!"

"어째서?"

그녀는 몸 여기저기에 반짝거리는 거미줄 같은 것을 친친 감고 있다.

옷이 아니라 맨살 위에.

보일 것 같으면서도 안 보인다고나 할까, 안 보일 것 같으면서도 보인다고 할까, 요컨대 거의 알몸이다. 그리고 머리카락. 저렇게 길었던가? 입술이 유난히 윤기가 나고, 탱탱하고, 눈은 멍하면서도 눈동자가 촉촉하게 젖어 있다.

도대체 왜 이런 일이 생긴 건가? 왜 저렇게 된 건가? 여러 가지 일이 있었다… 고밖에는 쿠자크로서는 달리 표현할 말이 없다. 그 여러 가지 일도 파악되지 않은 것이 대부분이다. 결국 아무리 말을 장황하게 늘어놓더라도 설명할 수 없겠지.

"나는 그런 사람이 아니라고? 그런 사람이라는 건 어떤 사람? 내가 그런 사람이 아니라는 걸 어떻게 쿠자크 군이 알아? 응? 어떻게?"

"…아니, 그야, 시호루 씨는 동료잖아! 함께 지내왔고! 고락을 함께해왔다고나 할까! 그런데, 그런 모습….."

"보고 싶지 않아?"

그녀는 두 손으로 자기 젖가슴을 주물렀다. 애절한 호흡을 한다. 자, 자, 자, 잠깐, 무, 뭐, 뭘 하는 거야? 쿠자크는 자기도 모르게 눈을 피할 뻔했지만, 참았다. 보고 싶어서가 아니다. 아니? 보고 싶지 않다고 하면 거짓말이 될까? 아니다. 보고 싶다거나 보고 싶지 않다거나 그런 게 아니라.

"…이상하다니까, 시호루 씨! 이상해졌다고요!"

"그럴지도. 나, 이상해질 것 같아."

"그런 게 아니라! 젠장… 하루히로도, 메리 씨도, 세토라 씨도, 키이치도 찾아야 하는데, 말이 안 통하고!"

"말 같은 건 상관없어. 나, 그런 건 상관없어."

그녀는 갑자기 울기 시작했다. 사실 그녀의 두 눈에서 흘러나와 사락사락, 사락사락 흘러내리는 빛나는 눈물은 액체조차 아니었다. 실은 그 나신 여기저기를 간신히 가리고 있는 거미줄 같은 것은 그녀의 눈물이었다.

퍼뜩 놀랄 정도로 아름다운 우는 모습이지만, 사로잡혀 바라보고 있을 수도 없다.

눈물은 끊임없이 흘러내려 그녀의 몸을 휘감아 다이아몬드 장식품처럼, 혹은 그보다 더 아름다운 그녀를 장식한다. 더욱이 반짝이면서 그녀의 사지로 흘러내려 그 발밑에 떨어져 쌓였다.

"…도대체 뭐야? 진짜!"

쿠자크는 허리를 낮추고 대검을 겨누었다. 몸은 정말로 잘 움직인다. 여기에 오고 나서 이상한 괴물을 얼마나 때려잡았을까? 베면 벨수록 근섬유가 두꺼워지고 칼솜씨가 예리해진다. 육체는 튼튼하고 강인함이 더해져 쿠자크는 분명히 강해졌다. 이 상태라면 300살 정도까지 살 수 있을 것 같다. 그 덕에 습격해오는 괴물들을 모조리 베어버릴 수가 있었다.

"정말로 나, 다 상관없어."

그녀는 울면서 오른팔을 치켜들었다. 그 움직임에 맞춰서 그녀의 발밑에 잔뜩 쌓인, 거미줄 같은, 혹은 무슨 결정 같은 그녀의 눈물이 둥실 떠오르더니 쿠자크를 향해 휘몰아친다. 저 눈물은 위험해.

"이야아앗…!"

쿠자크는 온 힘을 담아 대검을 크게 휘둘렀다. 그녀의 눈물은 어떻게 해도 벨 수 없다. 그러니까 이렇게 한다. 대검을 휘둘러 일으킨 바람으로 밀어내는 거다.

검의 풍압에 밀려난 그녀의 눈물이 주변의 검은 지면과 나무들에 닿자 그 부분이 반짝반짝 빛나더니 우지끈 휜다. 가능해? 이런 일이? 무섭다니까, 진짜로. 어떻게 된 거야? 저건. 쿠자크는 전혀 이해할 수 없었다.

"…어떻게 되어버린 거야? 시호루 씨…!"

그녀는 아직 하염없이 울고 있고, 흉악한 눈물이 점점 밀어닥친다. 쿠자크는 한 걸음, 두 걸음 물러서면서 대검을 휘두르며 아슬아슬하게 눈물을 막아내고 있는데, 막아내는 것도 이상하다고 하면 이상하지. 이 파워, 수수하게 보통이 아니지 않아? 나쁜 꿈인가? 그렇게 몇 번을 생각했을까? 농담 아니라 꿈이라면 좋겠는데.

— 다음 권에 계속 —

작가 후기

이제 「재와 환상의 그림갈」도 13권이 되었습니다.

쓰면서, 오호라, 그렇게 나왔나? 라고 생각하기도 했는데요, 다음에는 어떻게 되는 걸까요? 이것만큼은 써보지 않으면 모릅니다. 앞으로의 전개가 너무 큰일이 되지 않기를 바랍니다. 그야 어떻게 되든 쓰는 것은 저입니다만.

그런데 이 13권, 드라마 CD가 딸린 특장판이 동시 발매되는데, 그 드라마 CD의 각본을 제가 썼습니다. 처음부터 애니메이션 「재와 환상의 그림갈」의 나카무라 료스케 감독님께서 음악 감독을 맡아주셨으면 좋겠다는 뜻이 머릿속에 있었기 때문에, 애니메이션과 소설 양쪽을 다 고려한 스토리로 하려고 생각했습니다.

나카무라 감독님의 그림갈은 다분히 그림갈의 에센스를 이어받아주셨고, 저도 보면서 '그림갈이다'라고 느꼈는데요, 역시 제 그림갈과는 다른 부분도 있습니다. 나카무라 감독님은 저에게는 없는 센스, 기술, 재능을 갖고 계셔서, 저는 만들 수 없는 그림갈을 애니메이션으로 그려내 주셨습니다. 그 부분이 발휘되는 각본을 쓰고 싶었고, 나카무라 감독님이 연출하시고 애니메이션 성우분들이 연기하시는 음성 드라마를 개인적으로 꼭 듣고 싶었답니다.

이 후기를 쓰고 있는 지금은 아직 저도 완성된 음원을 듣지 못했습니다만, 녹음 장소를 견학할 수 있었기에 완성된 형태를 상상할 수 있습니다. 틀림없이 근사한 것이 되었을 것입니다. 성우분들도 정말로 즐기며 연기해주셨고 각본도 좋았다고 말씀해주셨습니다. 아마도 빈말은 아니지 않을까 생각합니다. 괜찮으시다면 들어봐주세요. 특히 애니판 그림갈 팬들은 안 들으면 분명히 후회하실 겁니다.

애니메이션 제작에 관여한 이후로 여러 명이 함께 뭔가를 만드는 작업에 관여할 기회가 늘어났습니다. 저는 거의 혼자서 완결할 수 있는 소설가라는 일을 좋아합니다만, 그것도 여러 사람들의 지원이 있었기 때문에 계속할 수 있었구나… 하고 당연한 사실을 새삼 느끼고 있습니다. 그리고, 다른 분의 도움을 받음으로써 혼자서는 오를 수 없는 산을 올라갈 수 있기도 하고, 다른 경치가 보이기도 하는 나날이 무척 자극적입니다. 이 경험은 분명 본업인 소설에도 살릴 수 있을 거라고 생각하므로 하루히로 일행이 타계에서 한바탕 날뛰게 될… 지도 모를 다음 권을 기대해주세요.

그럼, 담당 편집자이신 하라다 씨와 시라이 에이리 씨, KOME-WORKS의 디자이너님, 그 외 이 작품의 제작과 판매에 관여해주신 분들, 그리고 지금 이 작품을 집어주신 여러분께 진심으로 감사하며 가슴 한가득 사랑을 담고 오늘은 이만 펜을 놓겠습니다. 또 만나 뵐 수 있다면 기쁘겠습니다.

주몬지 아오

역자 후기

벌써 13권입니다.

저는 주기적으로 RPG 금단 증상 같은 것을 겪습니다.

틈틈이 퍼즐 게임이나 육성 게임 같은 것을 즐기기도 하는데, 오랜 시간 매달려 있지 않아도 되고 말 그대로 짬짬이 잠깐씩 할 수 있어서 자투리 시간을 보내기에는 좋습니다.

그런데 그런 나날을 보내다 보면 아무래도 모험이 그리워지게 되고 RPG, 특히 제가 선호하는 구시대 RPG를 하고 싶어서 몸이 근질거립니다. 하필 그 시기는 주로 제가 작업 마감을 앞두고 있을 때입니다. 역시 현실 도피일까요?

특히 「재와 환상의 그림갈」은 제 RPG 금단 증상을 심하게 부추기는 작품입니다. 아마 잠시 후면 게임 CD를 뒤적거리고 있을 것 같습니다.

이번 권은 여러 가지 의미로 충격적인 전개였습니다. 조급한 마음으로 다음 권을 기다리게 되네요.

앞으로도 함께해주시기 바랍니다.

2018년 늦가을
이형진

재와 환상의 그림갈 level. 13
마음, 열려라, 새로운 문

2019년 1월 8일 초판 인쇄
2019년 1월 15일 초판 발행

저자 · AO JYUMONJI
일러스트 · EIRI SHIRAI
역자 · 이형진
발행인 · 안현동
편집인 · 황민호
출판사업본부장 · 박종규
책임편집 · 성명신
마케팅본부장 · 김구회
마케팅 · 이상훈 김학관 김종국 반재완 이수정 임도환
국제업무 · 이주은 김준혜 오선주 장희정 박경진 위지명 김부희
제작 · 심상운 최택순 성시원
한국판 디자인 · 디자인 우리
발행처 · 대원씨아이(주)

서울 특별시 용산구 한강로3가 40-456
편집부 : 02-2071-2104 FAX : 02-794-2105
영업부 : 02-2071-2061 FAX : 02-794-7771
1992년 5월 11일 등록 3-563호

http://www.dwci.co.kr/

원제 灰と幻想のグリムガル 13
ⓒ 2018 by AO JYUMONJI
First published in Japan in 2018 by OVERLAP, Inc.
Korean translation rights reserved by DAEWON C. I. INC.
Under the license from OVERLAP, Inc., Tokyo JAPAN

ISBN 979-11-6412-041-3 04830
ISBN 979-11-5625-426-3 (세트)